集中講義ニッポンの大問題

日経テレ東大学・著

日経BP

登場人物（MC）紹介

ひろゆき（西村博之）氏

1976年、神奈川県生まれ。東京都に移り、中央大学へと進学。在学中に、アメリカ・アーカンソー州に留学。1999年、インターネットの匿名掲示板「2ちゃんねる」を開設し、管理人になる。2005年、株式会社ニワンゴの取締役管理人に就任し、「ニコニコ動画」を開始。2009年に「2ちゃんねる」の譲渡を発表。2015年、英語圏最大の匿名掲示板「4chan」の管理人に。YouTubeの切り抜き動画は、月間の再生回数3億回以上。「15歳から24歳の男女がいちばん信頼している／参考にしているインフルエンサー・有名人」でHIKAKINさんに次ぐ2位に。主な著書に、『1%の努力』『99%はバイアス』（ダイヤモンド社）、『無敵の思考』（大和書房）、『論破力』（朝日新聞出版）がある。

ピラメキパンダ（以下、パンダ）

テレビ東京所属。以前はしゃべれなかったが特殊な実を食べこの空間だけ話せる。市井の一市民。

パンダが出演の際は、日経テレ東大学プロデューサー高橋氏がいつもいなくなる。

成田悠輔 氏

夜はアメリカでイェール大学助教授、昼は日本で半熟仮想株式会社代表。専門は、データ・アルゴリズム・ポエムを使ったビジネスと公共政策の想像とデザイン。ウェブビジネスから教育・医療政策まで幅広い社会課題解決に取り組み、企業や自治体と共同研究・事業を行う。混沌とした表現スタイルを求めて、報道・討論・バラエティ・お笑いなど多様なテレビ・YouTube番組の企画や出演にも関わる。東京大学卒業（最優等卒業論文に与えられる大内兵衛賞受賞）、マサチューセッツ工科大学（MIT）にてPh.D.取得。一橋大学客員准教授、スタンフォード大学客員助教授、東京大学招聘研究員、独立行政法人経済産業研究所客員研究員 などを兼歴任。内閣総理大臣賞・オープンイノベーション大賞・MITテクノロジーレビュー Innovators under 35 Japan・KDDI Foundation Award貢献賞など受賞。主な著書に、『22世紀の民主主義　選挙はアルゴリズムになり、政治家はネコになる』（SBクリエイティブ）がある。

はじめに

「失われた30年」をつくり出したのは誰か？

その犯人の1人は、メディアだと思います。優秀な人が国の舵取りをしたくなる環境をつくり出せていたか？

「政治家の魅力」を引き出す努力をちゃんとしたのか？

「魅力」を引き出すことと、「批判精神」は両立できないのか？

メディアの中にいながらジャーナリストではない、エンターテインメントという隣の世界から政治を見ていた傍観者として、そう感じていました。

もちろん「権力監視」は、最も大切なメディアの役割です。しかし、それと「魅力を引き出す作業」は本当に両立しないのか？　両立させる努力をどこまでしたか？　「批判精神」と「魅力」のバランスの最適値はどこか、本当に議論したのか？

自己批判も含め、多くのメディアはそこに無頓着だったと思います。

「ジャーナリズム」の重要な作法の1つが「批判精神」なら、「エンターテインメント」の重要な作法の1つが「物事の魅力を引き出す技術」です。

90分という長時間、まずは政治家が思う存分、自分の思いを述べる。現実とかけ離れていようと、今まで語られなかった真実だろうと話を聞く。魅力を引き出しつつ、おかしな点は批判精神を持って突っ込んでいく。「Re:Hack」は、そんな番組を標榜しています。

幸いMCは、令和を代表する、空気の読めない、忖度皆無で、既得権益と無縁のおじさん2人です。

「批判精神」と「魅力」のバランスをジャーナリストだけで取るべきとは思えません。ジャーナリストはジャーナリストの仕事をしていて、僕は彼らに敬意を抱いています。だとしたら、このバランスを両立させるのは、「メディア」全体としての役割ではないか。なかでも、ジャーナリストと併存しながら、違う作法で物事を見つめるバカがたくさんいて、「ジャーナリズム」と「エンターテインメント」が社食で一緒になって雑談しているテレビ局こそ、それにチャレンジするにふさわしいメディアなのではないか。

今まで僕は18年、「どうやってバカげたことをしつつ、物事の魅力を引き出して、人に楽しんでもらうか」だけを考えてきました。でも思い返せば、政治学科を卒業し、将来は政策担当秘書になろうと思って国Ⅰ（国家公務員Ⅰ種）資格も行政職でとっていました。それがなぜかテレビ東京に入社して1年目で『TVチャンピオン』に配属され、みうらじゅんさんと「ゆるキャラ選手権」をつくり始めた頃から、楽しすぎてキャリアが狂い始めました。いまやアイドル番組のプロデューサーまで務めていたらくです。

しかし、AKB48の魅力を引き出す技術の根本は、政治家にも応用できます。プロのジャーナリストの方から見れば作法の違う点もあると思います。しかしだからこそできることは何か？「Re:Hack」と本書は、そんな試行錯誤の第1章だと思っています。

クソパンダことピラメキパンダ

登場人物（ＭＣ）紹介　2
はじめに　4

第1章 菅義偉氏
×「口下手」は総理大臣になってはいけないのか？

知られていないけど、実はすごい!?　菅政権がなしたこと　12
ワクチン政策の舞台裏——なぜ日本は出遅れから「接種率1位」になれたのか？　15
ひろゆきも驚いた総理大臣の「ルール破り」と「省庁またぎ」　19
「成田さんもひろゆきさんも政策に納得」なのに、世論の評価が低いワケ　24
「有事の総理は貧乏くじ」？　28
「政治家に向いている人」とはどういう人か？　31
菅氏が握っている「墓まで持っていかなきゃいけない秘密」　37

第2章 猪口邦子氏
× コロナ禍があぶり出した「オワコンとしての民主主義」

「コロナ禍で、民主主義のオワコン状態があぶり出された」？ 42
「そもそもコロナ前から、民主主義はオワコンだった」？ 49
「民主主義は根性論」という新たな絶望 55
「インターネット民主主義」の限界 61
入閣時の奇抜なファッションに隠された、猪口邦子の決意 66
民主主義のミライは明るいか？ 70

第3章

玉木雄一郎氏 × 選挙は結局、政策内容より「人気」と「分かりやすさ」が大事？

「野党＝批判ばかり」のイメージの裏側 78
明快で建設的――なのに「伝わっていない」不思議 82
なぜ景気対策は「外れまくって」ばかりなのか 85
「今の20代以下はものすごく損」は本当か？ 世代間格差の問題 89
「今日の生活費をどうにかしたい人」にも「理想のミライ」は描けるか 95
「国民への説明」をブラックボックス化してしまえ 98
アメリカの科学技術の発達スピードに日本が追いつけない根本原因 103
日本の「カネ」と「借金」の話――オモテとウラの解決策 105
「正解のない重要な問題」を議論すらできない日本の現実 108

第4章

片山さつき氏 × 教育で国を立て直すことはもはや「不可能」!?

「票が集まる政治」とは？ 112
「世界の滑り止め」化する日本の大学 118
「若者が成功しづらい社会、日本」の実像 126
日本政府のAmazon・Google優遇とDX 132
停滞感打開のカギは、日本国民の「ひろゆき化」？ 140
政策通で熱心、優秀なほど報われない？　政治家という仕事 143

第5章

泉健太氏 × 「YES、NOで言えない、答えはない」は政治家の発言としてアリか？

「核兵器の抑止力」とロシアのウクライナ侵攻 148
政治とジェンダー　政治家の女性比率はなぜ低い？ 154
理想の社会は「男性中心」？　コマ化する女性と日本社会 159

ひろゆきvs.パンダ
特別語り下ろし

1

YouTube時代のメディアリテラシー

分水嶺としての「ひろゆき」なる存在

「当選してから勉強します」という人は、選挙に出ないでほしい　166
「政策通は票にならない」のではない、ただ「説明が下手」なだけ　170
なぜひろゆきは、わざわざ「性格悪い方法」をとるのか？　172
ひろゆきには突っかかっても、成田悠輔にはおもねる人たち　180
「高齢者vs.若者」の対立構造は存在するか　182
「賛成か反対か」ではかれるほど、世の中は単純ではない　186
政治家の「全員を救いたい」は視野の狭い妄言か？　189

成田悠輔vs.パンダ
特別語り下ろし

2

政治を殺した？メディアの功罪

新時代の政治・メディア論

政策論がハマッた回が意外と伸びた理由　193
日本の少子化問題、解決を阻む3つの壁　194
ヨーロッパの先進国では、いまや「少子化逆行」がトレンド？　199
政策は「何が効いているのか」が結局のところ分からない　204
「断言できない」は「何も言っていない」と同義なのか？　206
「世代間の分断」の有無、成田悠輔はどう見ているのか　208
実は政治家ほど「頑張ってる人たち」はいないんじゃないか？　212
政治が「楽しいお祭」になればいい　215
「ちゃんとした民主制」は実現できる？　政治のパラドックス　218

菅義偉

Yoshihide Suga

「口下手」は総理大臣になってはいけないのか？

第1章

公開日
2022.03.20
2022.03.27
本章は上記の期日に公開されたYouTubeからの抜粋・再編集です。

菅義偉氏（以下、敬称略）
自由民主党衆議院議員。前内閣総理大臣。
神奈川2区・当選9回。1948年秋田県生まれ。高校卒業後上京。1973年法政大学法学部卒業。衆議院議員秘書、横浜市議2期を経て、1996年衆議院議員選挙で初当選（以後9期連続小選挙区当選）。2006年9月、総務大臣に就任し、「ふるさと納税」を創設。その後、自民党選挙対策総局長、自民党組織運動本部長、自民党幹事長代行等を経て、2012年12月、第2次安倍内閣の内閣官房長官に就任。他に国家安全保障強化担当大臣や沖縄基地負担軽減担当大臣、拉致問題担当大臣を務める。2019年4月1日に新元号「令和」を発表。2020年9月、自由民主党総裁、第99代内閣総理大臣に就任。

知られていないけど、実はすごい!?菅政権がなしたこと

パンダ　ものすごい失礼を承知でお聞きしたいんですが。菅さんに対して、**「なんかコロナ対策とかワクチンで頑張ってくれた人だな」くらいの認識しかない人も多い**んじゃないかと思うんですね。

そこで菅政権時代に実現した政策とか成果で、ご自身から見て「これはあまり知られてないけど、よくやった」みたいなものがあったら教えていただきたいです。

菅　せっかく総理大臣になりましたので、**議論の段階が終わったものについては、自分で判断して方向性を出していこう**と思っていましたね。そういうところでいうと、例えば気候変動対策は、もう避けて通れない世界の潮流と判断しましたので、「2050年カーボンニュートラル宣言」[01]というのを打ち出しました。

あとデジタル庁。「今はデジタルの時代」と言われて久しい中、日本では遅々として進んでいませんでしたが、これも私の政権時代に判断をして1年でつくりました。

マイナンバーカードで健康保険証や免許証を一体化するとか、テレワーク、オンライン診療、オンライン学習といったことを進める上で、その司令塔になるような組織を国につくらねばならないという判断でした。

それから携帯電話料金の改革。私は総務大臣をやったこともありますけど、その経験からも、これはぜひ実現したいと思っていました。

というのも、世界と比較をすると、日本の携帯電話料金はあまりにも高すぎる。国民の財産である電波の提供を受けて事業を行っているにもかかわらず、ここ10年以上にわたり、大手3社の寡占《かせん》状況が続いていたんですね。競争がまったく働いていなかった。

そこで、必要な法整備も含め、健全な競争が働いて適正な料金になるような仕組みをつくるよう、当時の武田良太総務大臣にお願いをしました。

総務省が正式に発表しているところでは、2021年5月には1570万台の携帯電話の契約が新しい料金に移り、家庭の負担は4300億円も軽減したというんですが、さらに2021年全体で見ると3100万台の契約が新しい料金に移っているんです。そうなると、おそらく家庭の負担軽減は6000～7000億円にもなるんじゃないかと思っています。

もう1つ挙げると、これは非常に反響があったんですけど、少子化対策の一環として、**不妊治療を保険適用にする**というのは総裁選挙のときの選

01 2050年カーボンニュートラル宣言

2050年までに温室効果ガスの排出を全体としてゼロにするという宣言。2020年10月の所信表明演説で、菅内閣総理大臣が行った。

「排出を全体としてゼロ」というのは、二酸化炭素をはじめとする温室効果ガスの「（人為的な）排出量」から、植林、森林管理などによる「（人為的な）吸収量」を差し引いて、合計を実質的にゼロにすることを意味する。

（環境省「脱炭素ポータル」）

挙公約にしていまして、実際に2022年4月1日から保険適用が始まりました。

直近のデータだと新生児87万人のうち約6万人、**14人に1人が不妊治療で授かったお子さんなんです。**しかし治療費があまりにも高すぎる、[02]そうした声に応えて、保険適用を実現することができてよかったと思います。

ざっとですが、こういうことは国民のみなさんのために実現できたことではないかと思います。

02 治療費があまりにも高すぎる、

厚生労働省が発表した「不妊治療の実態に関する調査研究　最終報告書」（野村総合研究所調べ、2021年3月）によると、1回の人工授精にかかる費用は平均約3万円、1回の体外受精にかかる費用は平均約50万円。また、同調査内の当事者アンケートでは、1,636件の回答者のうち約4割が、経済的な理由で治療における困難があったと回答している。

ワクチン政策の舞台裏――なぜ日本は出遅れから「接種率1位」になれたのか？

成田　例えば安倍政権では「アベノミクス」「憲法改正」があり、もっと前の小泉政権では「郵政民営化」があり、そういう大きいシングルイシューをガンとコピーとして掲げて政権運営をされていたって感じがするんですね。

それと比べると**菅さんの政権は、「重要だけど、地味なイシュー」を着々と実行されてきたっていう印象があるん**です。さっきご自身も「議論の済んだものを順番に判断して方向性を出していこうと思った」とおっしゃっていたように。それはやっぱり「政権として、そういう地味な試みが必要だ」っていうふうに、意識的に思ってやられていたんでしょうか？

菅　意識していたというか……、まず私が総理大臣に出馬しようとした最大の理由は、やはり**コロナ対策**です。新型コロナウイルスという見えない敵と戦うわけですから、ワクチンの確保なども含めて、いかに有効策を出せるかが最優先だったことは間違いありません。

と同時に、やはり経済をしっかり立て直す。まずは国民の雇用を守り、事業継続を可能にしていかなくてはいけない。そういう意味でいうと、私の政権は「守り」から始まっているんですね。

その中で、「より未来に目を向けた政策も」ということで、カーボンニュートラルや携帯電話料金、不妊治療の保険適用などにも時間が許す限り取り組んできた、そういう政権だったと思います。

成田 仮に新型コロナウイルスという「最大最強の敵」みたいなものがなかったら、「このイシューを自分の政権の看板にしよう」と思っていたものはあるんですか？

菅 いや、**そもそも私は、コロナの問題がなければ、まず自民党総裁選に出馬することはなかった**と思いますね。官房長官を8年やってきて、今、申し上げてきたようなことを「必要だろう」とか「そうでない」とかを自分なりに挙げてきたとは思いますけど、総裁選には出なかったでしょうね。

ひろゆき コロナ対策って、他の国に比べると、日本はワクチン接種開始が半年ぐらい遅れたりしていましたよね。

でも菅政権になってから「1日100万人にワクチン打つぜ」となって、「いやいや無理だろう」と言われていたのに実現したりとか、「自衛隊は使えないよね」っていう話だったのに、なぜか自衛隊が出てきて大規模接種ができるようになったりとか、**剛腕を振るって解決に向けていった**じゃないですか。

で、結果として日本人のワクチン接種率って、他の先進国に比べてもかなり高いところまでいったし、日本人のコロナ死者数も、他の先進国と比べるとだいぶ少ないですよね。

こうして全体を通して見ると、かなりの成果を上げていると思うんですけど、「あれって菅さんと河野太郎さん（ワクチン担当大臣）のタッグのおかげだよね」って**ちゃんと認識している日本人が少なすぎません？**

菅 ひろゆきさんは世界を見てらっしゃるから、そう思われるんでしょうけども。まあ、（2021年の）6月は1日110万回、7月は1日150万回、8月は120万回、9月は110万回と、**短期間で急速に接種が進んだことで、先進国の中で一番接種率は高くなりましたね。**

65歳以上の高齢者の接種は7月いっぱいでほぼ終わっていて、それによって**10万人以上の方が感染せずに済んだとか、8000人以上の方が亡くならずに済んだ**とか、そういった評価はしていただいていますけど、一方にはやはり感染して亡くなっている方もいるわけで、そういう方が出てしまっていること自体は、やはり**政府としては申し訳ない気持ち**

でやっていました。

とにかくできることからやって、それで足りないところがあれば何か方法を考えるというように、こういう**一種の有事のときは、「走りながら考える」みたいなところがある**んですよ。

ひろゆきも驚いた総理大臣の「ルール破り」と「省庁またぎ」

ひろゆき　菅さんをすごいなと僕が思ったのは、「できること」じゃなくて、自衛隊を動かすとか**「できないこと」をやったところ**なんですよね。

河野さんも河野さんで仕組みづくりが速かったりとか、デジタルもちゃんと分かった人がいてっていう感じで、けっこう珍しいやり方だと思ったんですけど。

菅　総理大臣は自衛隊の最高指揮官ですから。私は、やはり**自衛隊には国民の命と暮らしを守るという宿命がある**と思っていましたので、とにかく命を救うための2回のワクチン接種を、自衛隊も動かして進めようと。

それが「ワクチン一本足打法」なんて言われましたけど、海外の事例からも、ワクチンこそがコロナに対する起死回生策だというのが見えてきていましたから、とにかくそこに集中しようという思いでしたね。

ひろゆき　でも、その頃の大衆って「アビガンが効くらしい」とか、ちょっと頭の悪いことを言っていたじゃないですか。そこで「やっぱりワクチンだ」っていうのは、**今なら正解だったと誰でも分かるんですけど、あの時点で、よくワクチンに張れたな**と思って。

菅 安倍政権当時、最初は新型コロナウイルスの全体像が分からなくて、緊急事態宣言を出したんです。その結果、どうなったかといったら、（2020年の）4－6月期の国内総生産（GDP）がマイナス28・1％と、**経済が戦後最大の下落幅で落ち込んでしまいました。**

そういう中で官房長官をやっていた私にも責任がある以上、**理屈に合わないことはやるべきじゃない**と思っていました。

海外ではロックダウンをして、外出したら罰金まで課して、それだけやっても感染拡大、重症者や死者数の増加が止まらなかったわけでしょ。その状況を一変させたのがワクチンでしたから、いろいろな情報を取る中で、ここはやはりワクチンにかけようという判断に至ったということです。

ワクチン接種を推し進めることが、国民の命と暮らしを守ることにつながるんだという決意でやっていましたから、**そのためにできることは何でもやろう**と。自衛隊には医師も看護師もたくさんいますから、そういう人たちに協力してもらうというのだって、**総**

理大臣として当然じゃないですか。

成田　にしても、その協力を取り付けて、あれほど急速にワクチン接種を進められたのは、なぜなんですかね? **菅さんという政治家の何が、それを可能にしたんですか?**

菅　まずワクチンこそが切り札であると自分で確信をして、「そのために何が必要か」と考えたときに、使えるものは使うといってはなんですが、これは政府と霞が関を挙げてやろうと思いましたね。

ワクチン接種というのは、本来は厚労省の管轄なんですけど、私は、そこに総務省も入れたんですね。なぜなら実際のワクチン接種は地方自治体ベースであり、地方自治体の首長が最も懇意にしているのが総務省ですから。

それと「1日に100万回接種」という目標を掲げたのは、「インフルエンザワクチンの接種はどれくらいか」と厚労省に聞いたら「1日60万回」だというので、厚労省だけで60万なら、政府を挙げてやれば100万はいけるだろうという算段でした。あと7月いっぱいで高齢者のみなさん全員に接種しようと思ったら、100万以上必要だったという事情もあります。

ここでもう私は退路を断って目標を掲げていますか

ら、霞が関の官僚の人たちも、全力で働いてくれたんじゃないかと思いますね。

ひろゆき　政府と霞が関を挙げて、日本中にワクチンを配りますとなっても、実際に接種するのは各地方自治体じゃないですか。で、その地方自治体に国からの交付金を出している総務省が「君ら、ちゃんとワクチン打てよ、さもないと何かあるかもしれないよ」っていう、いわば脅《おど》しをかける形で、地方自治体もめちゃくちゃ頑張りましたよね。それが結果としてうまくいったっていうのは、**本来でいう省庁の枠組みを超えた行為で、ある種のルール破りの部分もある**じゃないですか。

菅　はい、それはもう、**全部ルール破っています。**

ひろゆき　**マジですか？**

菅　いや、でも、そうしなきゃできなかったんです。

ひろゆき　結果としてたくさんの人が助かったと思うし、それが正しかったというのは今なら分かるんですよ。**ただ「ルール破りでもいいから、人のためにやるんだ」っていう菅さ**

んの熱意だったり決意だったりって、全然国民に伝わってない気がするんですよね。

パンダ　菅政権の支持率はどんどん落ちてしまって、「裏で頑張った事実とか明らかな業績がうまく国民に伝わってないんじゃないか」「一生懸命頑張ったのに、支持率が下がっちゃって退陣に向かわされてしまった」みたいに言われますが、そのあたりはどう思われますか？

菅　いやいや、**伝わったから、みなさん接種してくれたでしょ。**だって7月は1日に150万回ですよ。

当初は、やはり「総務省がやるのはおかしい」とか「国からの圧力だ」とか言われましたけれども、しかし私に言わせれば、打つことが、それぞれの国民の命を救い、暮らしを守ることに直結するわけですから、それはやはりやるべきだという判断をしたんです。

私自身も退路を断って「これをやる」と掲げて取り組みましたから、**それで国民から支持されなければ、やむを得ない**でしょうね。

「成田さんもひろゆきさんも政策に納得」なのに、世論の評価が低いワケ

ひろゆき もう1つ、「日本の高齢者の医療費って高すぎるから、お金がある人に関しては窓口負担を上げてもいいんじゃね？」っていうのは議論としてはあったんだけど、**「でも実際にそれをやったら、高齢者の票が減るからできないよね」**ってみんな、思い込んでいましたよね。03 それを菅さんはやったじゃないですか。

菅 やりました。

ひろゆき あの改革で若者の負担はかなり、たしか700億円とか減ったわけですよね。若者にとってはすごくいい出来事なのに、そういう意味で若者が菅さんを評価している話って、あんまり聞かないじゃないですか。

これだけ若者のために頑張ったし、さっきご自身でも挙げられていた携帯料金の値下げとか不妊治療の保険適用とか、実績があるっていうのに、何でそこまで評価されないのかが不思議なんですよね。

パンダ　伝え方が足りないのかなっていう質問だと思うんですけど、どう思われますか？

菅　でも**不妊治療では、私が4月1日に「今日から保険適用です」とツイートしましたら、49・4万「いいね」もらいました**よ。

ひろゆき　子どもが生まれることって、国の維持には必要なことじゃないですか。そこで高額の費用を払ってきた人がたくさんいるわけですよね。「これは国の維持のためにも必要なことなんだから、国が保険を出してよ」っていうのは、ある種、当然の話なんだけど、今までの政権はまったくやってこなかった。だけど、菅さんが総理になったとたんにポンッてできたわけじゃないですか。

やっぱり、**もっと評価されていいんじゃないかって思う**んですけど。

菅　まあ、それは私が申し上げることではなくて。ただ**私とすれば、国の将来にとって必要なことをやってきた**ということですよね。

03 それを菅さんはやった

2022年度以降、75歳以上の人口増加に伴う医療費の増大が見込まれることから、2022年10月1日から、75歳以上で一定以上の所得がある人（3割負担の現役並み所得者を除く）の医療費の窓口負担割合が、それまでの1割から2割に改定された。この法案をめぐっては、受診控えにつながるなどの反対運動もあった一方で、NIRA総合研究開発機構が4000人あまりに行った調査では、6割の人が「賛成」している。（「後期高齢者医療をめぐる熟慮・熟議型調査」川本茉莉、2022/1/17）

ひろゆきさんが挙げてくださった医療保険制度改革では、今までは75歳以上の方は一律で1割負担だったものを、一定の所得のある方には2割負担していただくようにしました。このときも**「選挙前はやめたほうがいい」**とか、いろいろ言われましたけども、**ちゃんと説明すれば分かってもらえると思ったん**ですね。

75歳以上の人の1年間の医療費というのは92万円ぐらいなんです。で、0歳から74歳までは年間22万円ぐらいなんです。ですから、高齢者の中でも、ある程度、余裕のある人たちにお願いをして、若い人たちの負担を少なくしようと。これは現在、日本は少子高齢化という人口構成になっていますから、やはり団塊の世代が75歳になる前にやっておかなきゃならないという思いで取り組んだんですよね。

パンダ　成田さんもひろゆきさんも、実際に菅さんにお会いする前から、菅さんの政策に対しては肯定的な部分もあって、「何で辞めちゃったんだろうな」っていう話が出ていたんですよ。

ご自身からすると、どうして退陣しなくちゃいけないまでに支持率が下がってしまったのか、そのあたりは、どう思われますか？

菅　コロナがやはり一番だったんじゃないですかね。コロナ対策に関する私のやり方に対して、**マスコミはもう最初からアンチになっていま**

したから。

例えば、ちょうどワクチン接種が進んでいた頃、私が記者会見で「明かりが見えてきた」って言ったことがあるんです。海外を見ると国民の40％が2回目接種まで終わったあたりから状況が変わってきていて、そのときの日本の接種率は43％だったんです。それと、治療薬がものすごくよく効いていたんです。百発百中ぐらいに。

ですから、ワクチン接種率は43％を超えてきた、効果の高い治療薬もある、ということで「明かりが見えてきた」って言ったんですけど、それが総スカンだったんですよね。「根拠がない」とか「楽観すぎる」とか、いろいろ言われましたけど、実際、あそこから感染者数も死者数も下がり始めたんです。だから次の記者会見では「光り輝いてきた」って言ってやったんですけどね。

ひろゆき 「こういう数字をもとに言っている」って説明すれば、メディアも「あー、そうなんだ」ってなるはずですけど、それは説明しなかったんですか？

菅 **言ったんですけど、そこはなし**で。

「有事の総理は貧乏くじ」？

成田　コロナ禍の中で総理大臣になるって、ある意味で貧乏くじを引くような部分があるじゃないですか。いずれにせよ経済は傷《いた》んでいるし、亡くなる人は出るわけで、**どんなに頑張って、世界に類を見ないほどの速度でワクチン接種を進めたとしても叩かれる**わけですよね。こんなタイミングで総理になってしまったことに対して、後悔したことはありましたか？

菅　いや、コロナがなければ、たぶん安倍さんも体調不調にならなかったでしょう。私自身も最初から総理を目指していたわけではないんです。
ただ、あの状況で安倍総理が退陣を余儀なくされて、「じゃあ次は誰が」っていうときに「やっぱり自分がやらなきゃダメなのかな」という思いだったんですよね。私はコロナ対策で、武漢《ぶかん》から邦人を帰国させる作戦を指揮したり、ダイヤモンド・プリンセス号[04]を横浜港に接岸させる責任者になったり、安倍総理から命を受けてやっていましたから。

パンダ　安倍さんも菅さんも総理を辞めたとたんに顔色がよくなりましたよね。どれだけ総理の仕事は大変なんだという話だと思うんですが、そういうのを見ていると、**総理大臣になりたいという人がいなくなっちゃうんじゃないかと心配になります。**

あと、菅さんの政権で僕が思い出深いのは、「ガースーです」って挨拶して、そこだけすごい叩かれたじゃないですか。[05]もちろんコロナ禍で、連日、亡くなる人も出ていたので、思いやりを持って政治をするというのは大事なんですけど、片や、ちょっとした冗談や笑顔も「コロナで大変なときだから」って許されないというのが……。

ものすごいプレッシャーで、ベテランの政治家の方でさえ体調が悪くなっちゃうような仕事って、やっぱり誰も就きたくないんじゃないかと思うんですけど、そういう**一種の殉教精神みたいなものまで求められる空気感**みたいなのは、実際に総理を経験されて、どう思われますか？

菅　「ガースー」はニコニコ動画だったんですよね。画面にワーッと「ガースーだ」「ガースーだ」とコメントが流れてい

04 ダイヤモンド・プリンセス号を横浜港に接岸させる

コロナ禍初期の2020年2月、横浜港に停泊中のクルーズ船「ダイヤモンド・プリンセス」で新型コロナウイルスへの集団感染が発生。日本政府は大型船内での集団感染への対応を次々と迫られ、国際社会でも注目を集めた。

05「ガースーです」って挨拶して、そこだけすごい叩かれた

2020年12月11日に、菅氏はインターネット番組「菅義偉総理が国民の質問に答える生放送」に出演し、携帯電話料金の値下げ等を含めた自らの政権運営への思いを約30分にわたり語った。放送後、その番組冒頭での、ネット上での自らのニックネームを用いた挨拶に批判が集中することとなった。

ましたから、そっちの挨拶が自然だと思ったら。

ひろゆき　ニコニコの空気ではよかったと思うんですけど、その部分だけ切り取られて世間に出されたら、そこはもう空気が違うじゃないですか。だから、**あれは切り取りのせいなのかな。**

菅　この一件以外でも、**切り取られることばっかし**ですよ。

パンダ　誰が切り取るんですか？

菅　私が聞いてみたいですよね。

パンダ　やっぱり、ちょっと「ガースーです」って言ったくらいで叩かれるんなら、**優秀な人が政治家を目指さなくなりませんか？**

菅　コロナでなければ、そこは違ったんじゃないかと思いますね。国民の命と暮らしを守るというのが政治家の最大の使命ですから、特にコロナのような危機では、すべてを懸《か》けて、できることをやるというのは当然だと思います。優秀な人の中でも、そういう人に政治家になってほしいですね。

「政治家に向いている人」とはどういう人か？

成田　政治家がすごい異常な職業なのは間違いないと思うんですよね。総理ともなると、いつも1日の動きが新聞に載せられて、SPがつねについて、どこに行ってもプライベートがないっていう感じじゃないですか。

いわゆる二世とか三世だったら、生まれたときからそういうのも当たり前で、自分も政治家を目指すように思い込むのも自然かなと思うんですが、菅さんは、二世じゃないっていう珍しい形で総理大臣になられたわけじゃないですか。

最初に総理になろうと思われたのは、どういうタイミングだったんですか？


菅　安倍さんが辞めるときですよね。それまでは考えていませんでした。

ちょっとだけ経歴を言いますと、私は秋田で育ちまして、高校卒業後に働くために東京に出てきたんですけど。いろいろな紆余曲折《うよきょくせつ》があって、世の中が見え始めてきた26歳のときに**「世の中を動かしているのは政治じゃないか」**と思いまして、「政治の世界で働いてみたい」というふうになるんですよね。

それから回り回って横浜の国会議員の小此木《おこのぎ》彦三郎さんっていう方のところで11年、秘書をやって、横浜市議会議員を経て国政に出ました。

市議会議員の選挙が私にとって一番大変でしたね。最初はなれると思ってなかったんですけど、いろいろなチャンスに恵まれて。それから小選挙区で当選して国会に出るわけですけども、その頃私がやろうとしていたのは、地方分権だとか、ふるさと納税をやったらいいんじゃないかとか、そういう思いでスタートしましたね。

成田　そういうふうに秋田から出てこられて、政治家になられて、総理までいく人って、歴史上、ほぼいないわけですよね。菅さんと他の草の根の政治家たちを、一番分けているものって何だと思われますか？　何が菅さんをそこまで持ち上げる力になったと思われますか？

菅　コロナがなければ、私もそこまでいかなかったと思いますし、私はやはり周りの人に恵まれたのではないかなと思いますよね。

パンダ　総理って、けっこうつらいじゃないですか。毎日課題が出てきますし、コロナもいろいろ対策を打たなきゃいけない。精神的にも体力的にもすごい削られると思うんですけれども、それを支える目標とか動機って何だったんですか？

菅　そこは、やっぱり**国民に対する責任感**じゃないですかね。

パンダ　何で国民に対して責任を果たしたいって思われたんでしょう。僕なんか、いっさい思わないんですけど……。

成田　ここにいるのは視聴率とPVのことしか考えてないプロデューサーとか、日本国民からいかに広告収益をむしり取るかってことしか考えてないYouTuberとかばっかりなんですけど(笑)、どうやったら僕たちは、日本国民に責任を感じるようになれるのか。

菅　**私も「何を自分がやりたいのか」が見えるまではフラフラしていました**けどね。さっき言ったように26歳のときに、世の中を動かしているのは政治であるというのを、何となく感じ始めてきて、それだったらそこの政治の枠の中で働いてみたいと思って。
かといって誰も知りませんから、出身大学である法政大学の学生部とか就職課に行って「政治の道に進んだ先輩を紹介してください」ってお願いして、そこからいろいろなご縁があって、代議士の秘書になることができたんですよね。

パンダ　そこがけっこうキモな気がします。「26歳のときに何となく世の中を動かしているのは政治だと思った」というのは、何でそう思われたんでしょうね。

菅　一定期間、サラリーマンとして働く中で、世の中はやっぱり政治じゃないかなと、そこで初めて自分で感じたわけですよね。

ひろゆき　段ボール工場で働いて、[06] 結婚して楽しく暮らすというのでも、みんな幸せに暮らせるわけじゃないですか。

菅　最初、高校を卒業して東京に出てきて働いたときに、現実の厳しさに初めて直面するわけですよ。そこから人生を考えるようになりましたね。

パンダ　どういう現実が厳しかったんですか？

菅　**大した目標もなく、朝から晩まで黙々と働いているうちに、やっぱり「こんなもんじゃないだろうな」と思い始めた**んです。

成田　政治の力を感じられたっていうのは、何か具体的なきっかけがあったんですか？　知り合いが政治家にいじめられたとか、あるいは政治家に助けてもらって急にブレイクスルーしたとか。

菅　いや、そういうことない。ただ、働きたくて東京に出てきたんだけど、そのうち**「人生は1回だから、自分の好きな仕事に就くべきじゃないか」**と思い始めるんですよね。それで大学に入って。

農家の長男ですから「家を継がなきゃダメだ」っていう流れは脈々とあったん

06 段ボール工場で働いて、

菅氏は、1967年に上京した後、段ボール工場に住み込みで働いていた。その後、法政大学に進学。会社員勤めを経て政治家を志したという。

ですけど、大学を卒業して就職して、もしかしたら政治が世の中を動かしているんじゃないかと思い始めて、政治の世界に入ってみようと。

入ってからはもうアクセルを踏みっぱなしでした。

成田　村上春樹さんが、小説家になったきっかけを聞かれたときに、たしか29歳のときに神宮球場で野球を見ていたら、突然、何かが降ってきて「自分は小説を書く人間だ」って決めたんだと答えていたんですよ。それにちょっと近い感じで、特定の出来事とか経験があったわけじゃなく、何となく「政治」が降ってきたんですかね?

菅　ただ、自分は何が好きなんだろうというのは、ずっと探していましたよね。何に向いているんだろう、とか。

成田　どういう人間が政治家に向いていると思われますか?

菅　**熱意のある人**でしょうね。

ひろゆき　菅さんは政治家のトップの総理大臣になって、「日本にこれが必要だよね」っていろいろ頑張ったわけじゃないですか。

例えばカーボンニュートラルの話って、レジ袋が有料化されたときに世間はすごいバッシングしたんですけど、EUの中では炭素課税はもう当たり前になったんですよね。「トヨタが自動車を輸出します」っていうときも、「二酸化炭素を多く出している国から車がくるんだったら、そこには課税しますよ」っていうのをEUがやろうとしていて、どう考えても「日本が海外にものを売る上では、二酸化炭素排出量は減らさなきゃいけないよね」ということになってきている。だからカーボンニュートラルが重要で、そこでレジ袋の話も始まったわけですよね。

だから僕、あれは正しい判断だったと思うんですけど、でもあれをやったことで小泉進次郎さんも叩かれたし、政権そのものも世間から文句を言われることになりましたよね。

そうなると、「日本の将来のために」って考えて、間違ってないことだと思ってやっているのに、国民が理解してくれないのって、すごい無力感を感じませんか?

菅　ワクチンのときは感じそうになりましたよね。

当時は「100万回なんかいくわけない」って言われたんですけど、150万回にいっても全然、評価なんてされませんでしたから。

菅氏が握っている「墓まで持っていかなきゃいけない秘密」

ひろゆき　**日本がうまくいかないのって、世代交代が滞っているからという部分もあるじゃないですか。**で、日本で官房長官をずっとやっていらっしゃった菅さんって、官房機密費も含めて、たぶん、言ったらとんでもないことになるような、墓まで持っていかなきゃいけない秘密をたくさん知っていると思うんですよね。

そうすると、**「この秘密、公表されたくなかったら一緒に引退しない？」って高齢の政治家を巻き込んで、どんどん世代交代を進めるっていうキーを持っている気がする**んですけど。

菅　政治にはいろいろな条件がありますから、今は継続してやるほうがいいと私は思っています。

ひろゆき　自民党の「これ言ったら、この人、破滅するよね」なんていうのをいっぱい持っていますよね（笑）。そのカードを、いつか日本のために使う気はありませんか？

菅　そんなことはないです（笑）。

成田　僕もメディアとか、知り合いの政治家や官僚から、あることないこと吹き込まれていますけど、菅さんっていう政治家については「官房機密費がどうこう」とか「人事権を使って自分に反発する人を懲罰してどうこう」とかで、**すごい恐ろしい陰の権力者みたいなイメージがある**と思います。

菅　そういうイメージがつくられちゃいましたよね、官房長官のときに。

成田　官房機密費を何に使われていたかを、公開したりはできないんでしょうか？

菅　国会に報告するという仕組みになっていますので。

ひろゆき　でも、「金額はこんな感じです」ってだけで、明細は国会には出さないじゃないですか。

菅 金額の全体像は出しますから。報告している、に尽きると思います。

ひろゆき 僕、別に**日本政府が公にしないお金の使い方自体は、あっていい**と思うんですよ。ただ、**それが日本のためになっていればいい**と思うんですけど。

で、さっき言った「日本は世代交代が全然進まないよね」という問題。たぶん今後も変わらないと思うんですけど、それって年齢の高い人が辞めたら損するというか、要は「辞める必要」がないからじゃないですか。

だから「辞めないと損をするな」っていうふうに思わせれば、高齢の人は自然に辞めていくと思うんですよね。そういう形も、ある種、若者の負担を減らすことにつながるんじゃないかと思うんですけど。

菅 大統領制と議院内閣制の違いもあるんじゃないですかね。

ひろゆき カナダとかだと、「一定の年齢を超えた人は政治家になれません」みたいなルールがありますよね。でも**日本だと、どんなおじいちゃんでも政治家になれちゃう。**

例えば、もう80歳を過ぎているような人が、子育て世代の気持ちなんか分かるはずないですよね。子育てしている20代とか30代って、もう彼らからしたら50～60年前のことなんだから。なのに、そこに子育て政策を任せなきゃいけないっていう。

パンダ　高齢になった国会議員の方が早く辞めたら得だと思える制度って、何かつくれないんですか？　例えばフジテレビは、早期退職者には巨額の退職金を払うということで、ちょっと前に大量に社員が辞めたんですけど、そんなふうに辞めるほうにインセンティブが働く制度を、ぜひ菅さん発でつくっていただくとか……。

菅　いや、だけど**損得で国会議員をやっている人は、私は少ないと思います**よ。

成田　だとすると、そもそも**お金の損得とかが関係ないような生まれの人ばっかり、偉い政治家になる傾向がある**と思われるんですが、これはもうしょうがないと思われますか？

菅　実は2回目に当選したときに、私は「世襲は制限すべきだ」って旗揚げてやったんです。当時、先輩の人から総スカン食らいましたけど、それは今も同じ考えです。

第2章

猪口邦子 × コロナ禍があぶり出した「オワコンとしての民主主義」

Kuniko Inoguchi

公開日
2021.07.18
2021.07.25
2021.07.26
本章は上記の期日に公開されたYouTubeからの抜粋・再編集です。

猪口邦子氏（以下、敬称略）
自由民主党参議院議員。参議院環境委員会委員。自民党一億総活躍推進本部本部長。千葉県市川市生まれ。市川市立八幡小学校、桜蔭中学・高校に学ぶ。上智大学卒業。ロータリークラブ奨学金で米国イェール大学に留学（国際政治学専攻）。1982年イェール大学政治学博士号（Ph.D.）取得。上智大学教授を経て、2002～2004年ジュネーブ軍縮大使。2005～2009年衆議院議員。2005～2006年少子化大臣。2010年～現在千葉県選挙区選出の参議院議員。上智大学名誉教授。

「コロナ禍で、民主主義のオワコン状態があぶり出された」？

成田

「民主主義はオワコンなのか」。

ちょっとそれについてデータを見るところから始めてよろしいでしょうか。

図1の横軸は「世界中の色々な国がどれぐらい民主的な政治制度をとっているか」を指数化したもの、縦軸は「2020年の1年間にコロナ禍で亡くなった方が人口当たりどれぐらいか」を書いています。

この2つの関係を見てみると、かなり強い相関関係があります。

左下のほうにあるのは、中国をはじめとするかなり専制的な国。エジプトなどの中東諸国もここです。2020年においては**コロナの封じ込めに成功していて、ほとんど死者を出さずに済んでいた国というのがたくさんある**と。

それに対して、右上にあるアメリカとかブラジルとかフランスみたいな**民主主義の象徴といえるような国々は、ズタボロで大量の人が死んでいる**ということが分かります。これ

図1　民主主義度合い(横軸)と2020年の人口当たりコロナ死者数(縦軸)の関係

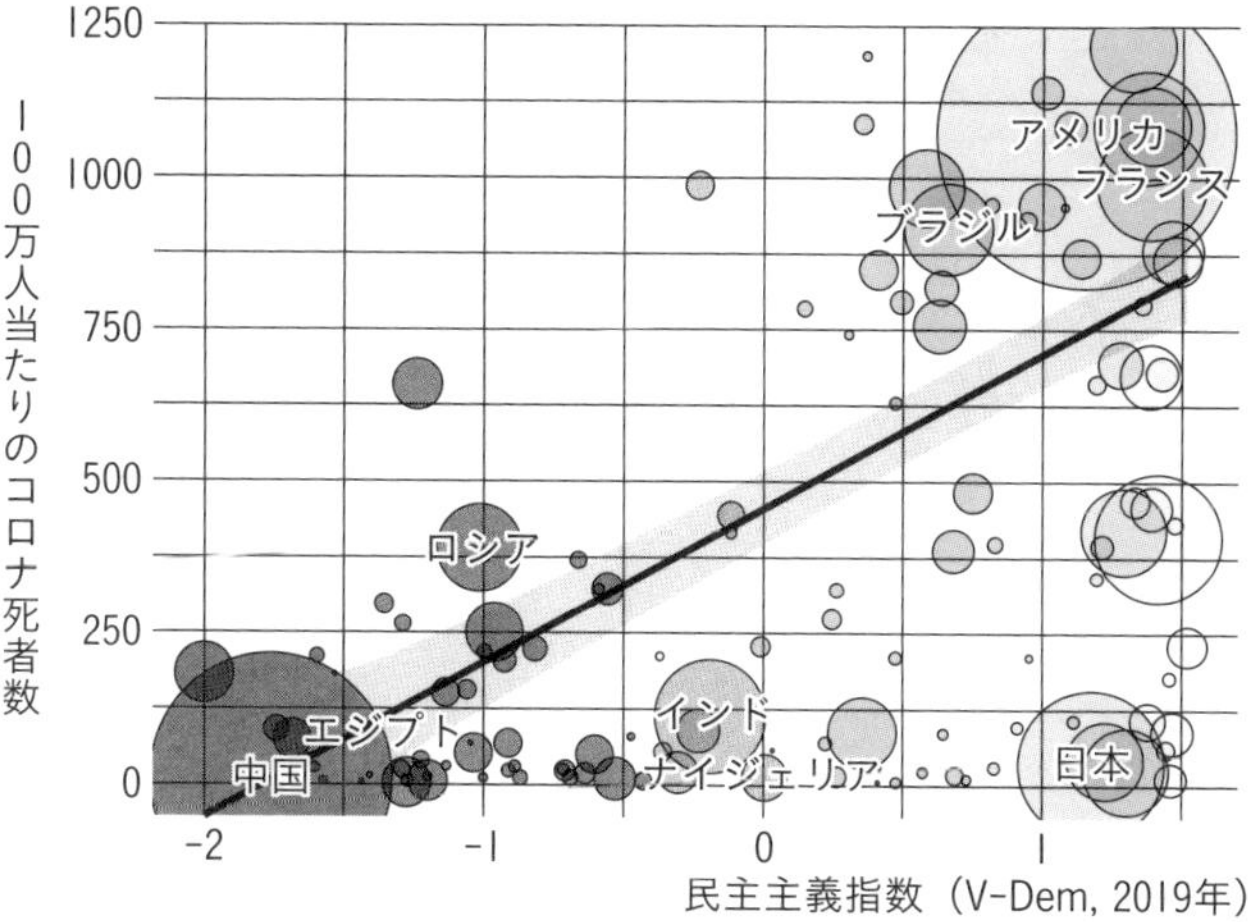

図2　民主主義度合い(横軸)と2019〜2020年のGDP成長率(縦軸)の関係

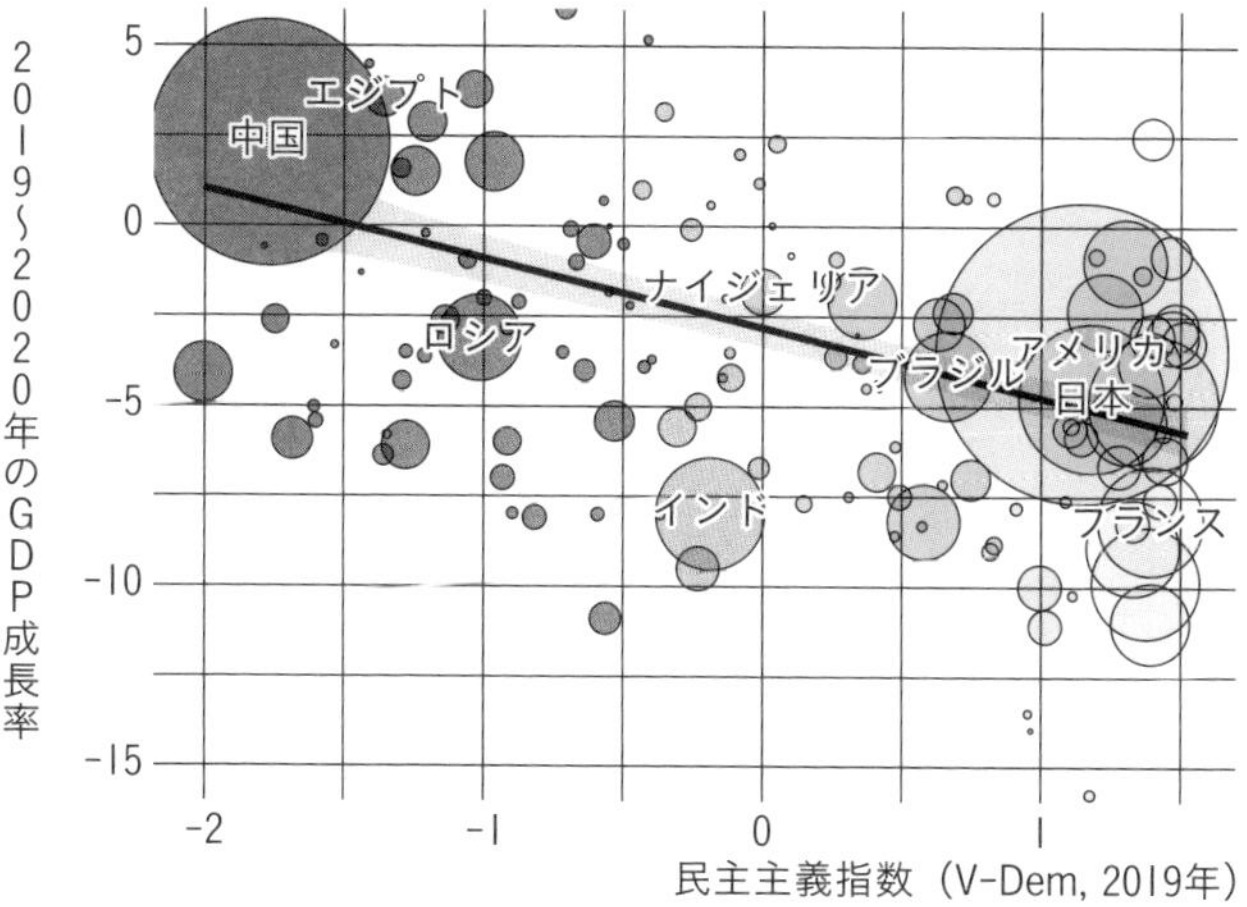

（注）　円の大きさは2019年時点でのGDPの大きさを表す。太線は平均的関係を表す回帰直線を、灰色のバーは95％信頼区間を表す。

出典　成田悠輔『22世紀の民主主義』

は、僕たちがメディアを通じて見るイメージともかなり整合的です。

同時に経済について同じようなことを考えることもできると思うんですね。縦軸を、コロナ死者数の代わりに「２０１９〜２０２０年のＧＤＰ成長率がどんな感じになったか」に変えてみる。その２つの関係を表したのが図２です。

今度は民主主義の度合いと経済成長率の間にマイナスの関係があって、**「民主主義的な国ほど経済成長率が低い」**という結果が出ているんです。

日本はコロナ死者数だと健闘していますが、ＧＤＰ成長率で見てみると、前年のＧＤＰ成長率からマイナス５％ぐらい。ということで、アメリカやブラジルとあまり変わらないぐらい、経済がダメージを受けていると。

ここからいえるのは、**民主主義的な国ほど、２０２０年のコロナ禍では、人命の意味でも経済の意味でも、よりダメージを受けている**ということです。高齢化や地理的な要因といった、「重要かもしれない変数」を全部制御しても、今のところ、ほとんど変わらない結果になっています。色々な分析をやってみると、**ここで出ている相関っていうのは、かなり因果関係に近そうだ**ということまで分かっているんです。

つまり、コロナ禍にあった２０２０年の１年間を見てみると、**「民主主義的**

な国ってヤバいんじゃないか」って気が、何となくしてくるんですよね。

こういうことについてどう思われるか。もし問題を解決したり改善したりできる余地があるとしたら、どういうことができるんだろうか。こうしたことについて、お話ししたいと思っています。

ひろゆき 僕自身は、成田さんの仮説はたぶん成立すると思っています。

「マスクをしたほうがいいですよ」とか、「ワクチンを導入したほうがいいですよ」とか、東南アジアでは個人をＧＰＳで追跡して感染した人がいたらその周りの人全員をひっ捕まえるみたいな国もありましたけど、そういうのは結局、その政府がある程度強い権限を持っていないとできません。

僕は今、パリにいますけど、フランスの場合って「マスクをしたほうがいいですよ」っていうのが世界中で言われるようになったとしても、義務化されるまでは、やっぱりみんな、しなかったんですよ。

なので**「正しい知識が見つかったとき、それをどれぐらい強い権限を持って国民に強制できるか」**で結果は変わりますし、**「政府がどれぐらい強大な権限を持っているか」**っていうのは重要ですよね。

民主主義は手順を踏んで国民が納得しないと進まないので、開発独裁[01]だったり、中国のような一党独裁のほうが、「正しい手段」がすぐに普及する、ということについては、特に異論を挟む余地はないと思うんです。

「これをやったほうがいいよね」って決まったときに、それを浸透させる速度は、民主主義じゃない国のほうが速い。

これは事実ですよね。

猪口　でも日本の場合、情報提供による抑え込みができていましたよね。例えばマスクの着用は、「マスクをしたほうがいい」という情報提供と、その裏付けとして具体の物資としてマスク（アベノマスク）が2枚、配られました。

人間が自分の命を守る最大の方法というのは、すべての人が、そういう科学的な知識にアクセスし得る環境にあるということだと思います。

ですから最終的な勝利は、報道やSNSも含めて、すべての人に正しい情報、科学的に今分かる知見を平等に共有できる社会、情報を消費者・主権者が自分で判断できる社会にあると思います。

01 開発独裁

経済発展の途上にある国の政府が、国民の民主的な政治参加を抑制しつつ、急速な発展と近代化を目指す体制。

ひろゆき

理想論として、猪口先生のおっしゃることは分かります。 でも「ワクチンを打ったほうがいいですよね」って言って、イスラエルみたいにほぼ強制的に「全員に打ちます」っていう国は、すぐに「もう6割、7割打ちました」となる。一方で、**「打っても打たなくてもいいよ」という国では、一定割合の人が「それなら打ちたくない」ってなりますよね。**

実際、HPVワクチンを打たないで子宮頸《けい》がんで亡くなる方が、他の先進国に比べると日本は異常に多いじゃないですか。[02]

データとして「HPVワクチンを打ったほうが死ぬ人が減る」と示されていても、「じゃあみなさん、自由に選んでください」ってやるとワクチンを打たない人がいる。これも事実として存在するわけです。

HPVワクチンを受けていない人たちの中には、今のHPVワクチンが、科学的に効果がないから受けていないわけではなく、**ちゃんと調べていなくて怖いから逃げているだけ**だという人も多いと思うんです。

ちゃんと調べた上で拒否している人の割合って、どれぐらいだと思われていますか？

02 HPVワクチンを打たないで子宮頸《けい》がんで亡くなる方が、他の先進国に比べると日本は異常に多い

2021年10月にWHOから発表された「Human Papillomavirus and Related Diseases Report」によると、HPVに起因する子宮頸がん症例の年齢標準化死亡率は、日本は2.9%で、G7でワースト1。

猪口　そこは、情報をどういうふうにすべての主権者が身近に入手できるようにするか、ということでは？　そういう中から、よりよいワクチンの開発であるとか、副反応を最小化するような科学的な突破力も生まれると思います。

ひろゆき　いや、インターネット普及率は9割を超えていますから、調べようと思えば誰でも調べられますよ。だからこれが、**「情報をいくら与えたとしても、国民が正しく判断できるわけではない」**っていう例じゃないかと。

「みんなで正しく判断できたらいいよね」って理想論は、僕も同意します。ただ、「現実はそうじゃないよね」っていう話だと思うんです。

コロナみたいな現実に直面したときは「理想を追っている場合じゃないよね」っていう国のほうがうまくいっているわけじゃないですか。

猪口さんは、理想論じゃなくて、現実もそうなると思っていらっしゃいます？

猪口　その理想を目指して、民主主義はここまでの発展をしているんですよ。

特定の政策や特定の政権が不十分だったという議論はできると思いますよ。でも、「政策選択が的確であったかどうか」という問題と、「民主主義の体制が開発独裁、あるいは権威主義体制より劣っているか」という議論と混同すべきではないと思うんです。

「そもそもコロナ前から、民主主義はオワコンだった」？

ひろゆき　そもそも正しい報告があったとしても、正しい政策ができるわけでもないですよね。例えば「少子化問題って解決するべきだよね」っていうのは、たぶん、40年以上前かららいわれていると思うんですよ。でもいまだにそれを解決できる対策ってなされていないじゃないですか。

それは日本の政治家が無能だからですか？
僕、民主主義に問題があるんだと思っていますけど。

猪口　それは、政策選択について十分な合意形成ができてないだけで……。

ひろゆき　じゃあ、自民党の政策が悪かったんですか？　**こんなふうに少子化になっているのは自民党のせいってことでいいんですか？**

猪口　それは、待機児童の問題の解消、あるいは若い世代が非常に貧困であったことに対して、不十分な面もあるけれども、努力を続けていることです。

私は初代の少子化担当大臣ですけど、その当時はですね、出産費用が払えなくて夜逃げするカップルがたくさんいたんですよ。

そこで出産育児一時金を42万円にしたことで、今はそういう夜逃げの問題もなくなったし、病院も医療費を払ってもらえないことがなくなったでしょ？　私が担当していたときは、合計特殊出生率が改善したんですよ。その効果は8年ぐらいはもったんです。1つひとつ、こうやって解決して、最近では待機児童が0にもなってきているわけです。

その後、多くの女性が働くようになって、今度は保育園といった現物給付も重要になってきたと。そして今さらに、まさに私がアピールしたい重要な政策はですね、スクールバスの公立小学校への導入です。自主的な自民党有志の勉強会を立ち上げてやっているんですね。今度、子ども庁をつくればさらに進む。もう少し早く進められればよかったとは思いますけれども、これから一気に……。

ひろゆき　40年前から少子化っていわれてきたけど**「今度これから」ってまだ言っている**わけですよね。

猪口　1つひとつ合意形成をしながらやっているんです。それを**民主主義的な方法以外でやるとすれば、人間社会としてどういうふうに合意ができていくかということを考えなければいけない。**

たしかに、**民主主義というのは完全な制度ではない。**「合理的な決め方かどうか」という議論は実は何百年も前からやってきていて、そのために命をかけたものすごい戦いがあった。民主主義というのは重い犠牲《ぎせい》の上に樹立されているものなんですね。

ですから我々はそれをさらにブラッシュアップして、政策選択がより的確にいくようにしなければいけない。

そのためには**データドリブンでなければならず、政治家もデータを十分に踏まえながら主権者を説得できなければならない。そういう苦労のあるプロセスでも、やる価値がある**と思ってやっているんです。この何百年の間に、あまりにも多くの犠牲を払いながらも戦って、民主主義を樹立して守って発展させた世代・時代・国があるっていうことなんです。

ひろゆき そうおっしゃいますけど、少子化対策にきちんと予算が割かれるべきなんですけど、そうはなっていませんよね。

猪口 それで今、予算の配分を大きく変えようとしていて、それがこども家庭庁の設置などに含まれています。

ひろゆき 今、女性の平均年齢って50歳を超えたじゃないですか。**結果として、平均年齢は上がり続けています**よね。例えば日本の人口の平均年齢が65歳を超えて、みんなが年金で暮らすようになったとします。

そのときに「年金を減らします」って言った人が選挙で当選する確率はほぼ0だと思う

んです。そう主張して何人かが受かったとしても、それが与党になることは不可能ですよね。ここまでは同意してもらえます？

猪口　それは不可能かどうか、ですね。**主権者は最後は正しい**んですね。主権者が「自分の年金が目減りするからその政治家は絶対ダメだ」と思うのか。私は日本の主権者の水準はそんなものではなく、静かにたくさんのことを考えていると思います。

ひろゆき　そんなものじゃないとおっしゃいますが、結果として「自分たちの年金を減らす」っていう法案を今までに通した人はいないわけじゃないですか。

今おっしゃっていることと現実は、矛盾していませんか？

猪口　たしかに、社会保障の7割が高齢者です。そしていわゆる家族手当の類《たぐ》いや若い世代については10％以下なんですね。

この割合を変えようということを、今かなり積極的にやってきているんです。

ひろゆき　言っているだけですよね。例えば**社会保障の料率ってずっと上がり続けて、働いている人は払うお金がどんどん増えている**わけじゃないですか（図3）。

それをどこかで変えなきゃいけないんですけど、今の政治は「国民の多くが投票した人が受かりますよ」っていう形です。「働かないのが普通、年金をもらえるのが当然です」っていう年齢層が国民の半分を超えた時点で、もう働いている人のための政策をつくるメリ

図3　所得に対する社会保障負担率の変化

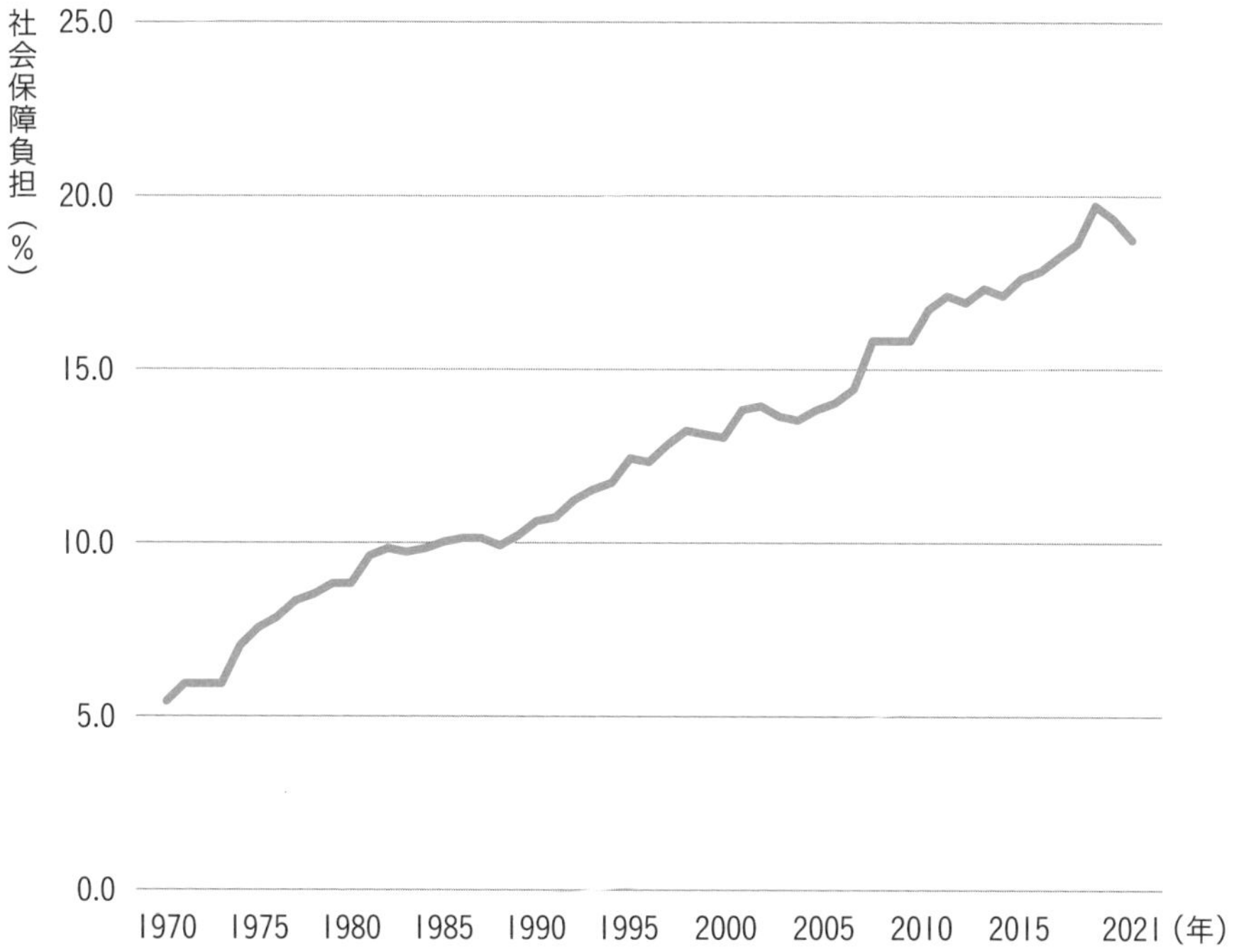

出典　財務省「国民負担率（対国民所得比）の推移」https://www.mof.go.jp/policy/budget/topics/futanritsu/sy202202a.pdf

ットがなくなりませんか？

猪口　でも、まず65歳で定年退職するとしても、まず**世界で65歳まで働けるってことはすごいこと**ですよ。さらに健康寿命は長いですから、選択的週休3日制という制度を、最近私は提案しています。

ひろゆき　じゃあ健康寿命を超えた人が平均になった場合はどうします？　例えば70歳で健康寿命を超えました。もう働くことはできません。年金をもらえないと暮らせません。

一方で、さらに平均寿命自体も延びて、じゃあ平均寿命100歳になりましたってなると、**30年以上年金をもらって暮らさなきゃいけないわけじゃないですか。**そのお金はどこから湧いてくるんですか？

猪口さんは政治家でお金をもらっていて、一生食いっぱぐれないから大丈夫なのかもしれないですけど、**庶民の人から見たら、全然大丈夫じゃない**と思います。

なので、民主主義がオワコンなんじゃないかなっていうのが僕の考えです。

「民主主義は根性論」という新たな絶望

成田 「民主主義への絶望」、特に「日本におけるシルバー民主主義への絶望」は、もういわれて久しいですよね。何十年も議論されてきていると。

その中で、**「民主主義とか選挙の仕組みそのものをいじる」っていう可能性はないんですか？**

猪口 例えばどんなふうに？

成田 人によっては、「それぞれの有権者の平均余命みたいなもので票を重み付けたらどうか」とか、あるいは「世代別の選挙区をつくったらどうか」とか、あるいは「選挙そのものを捨てて、一定世代の人しか入れないような独立国家とか自治体みたいなものをつくれないか」とか、いろんな人たちがあまり政治的な実現可能性については深く考えずにいろんなことを言っていると思うんです。

こういう、選挙とか民主主義の形をつくり変える方向についてはどう思われます？

猪口　それは絶対にダメですね。非常に危険な議論であって、1ミリも私は与《くみ》することはできない。**人はみな法の下で平等であって、それを最も基本的に示すのが1人1票という制度です。**

昔は財産を持っている人がより多く決定権を持っていた。そういう時代はギリシャからずっと最近まであったわけですよ。

でも主権者平等原則、そしてそれを法的に具体に下ろしたところが1人1票というもので、究極的に平等性を維持しているわけです。例えば子どものいる人は子どもの数とプラス何票だとか、あるいは高齢者は2分の1の票だとか、**そんなふうな制度はあり得ないんですよ。あり得ない。**

成田　でも、みんなある時点では若くて、順番に年を取っていくわけだから、寿命によって重み付けるっていうのはある意味で1人1票と同じじゃないですか？

猪口　成田先生、私は選挙を経て政治家になった立場ですけどね、もともとは研究者だったんです。それで、**民主主義の現場で、主権者と深い議論をして、本当に分かったことがあるんですよ。**

千葉の高齢の有権者が、「自分たちのことだけ」「自分の世代のことだけ」「私のことだけ」、そんなふうに考えているということは絶対にないってことなんですね。彼らは、あるいは彼女たちは、続く世代のこと、いろんなことが心配なんです。

ですから、私が少子化対策や男女共同参画、最近ではスクールバスの導入を訴えて、一番熱心に聞いてくれるのが、この政策で裨益《ひえき》する（利益を得る）だろう若い世代の方ではなくて、私と同じ世代かちょっと上ぐらいの世代です。

上の世代が自分の世代だけを考えて投票するんではない、ということなんです。

高齢者が「80代の我々のために、こいつは何も役に立たない」と考えているような、そういう主権者の水準では、ここまできた70年もやっている民主主義は立ち行かない。そんなことはないということを、私は知っている。

成田　おっしゃることはそうだと思うんです。にもかかわらず、やっぱり出生率の問題は解決せず、社会保障費の問題も解決せずっていう現実は一方にあるわけですよね。

今のお話を踏まえると、問題が解決しない理由はいくつか可能性がある気がします。

まず、猪口先生以外の政治家がダメだっていう説。

もう1個は選挙か、立法か、その仕組みのどこかに大きな問題があるという可能性。

3つ目の可能性は「何をやってもダメだ」という運命論。

この日本の抱えている問題を解決できない理由っていうのは、人にあるのか、仕組みにあるのか、それとも運命にあるのか、どれだと思います？

猪口　そんなことは、私は言ってない。そのいずれにもないと思います。

成田　では、今、政治の内側にいらっしゃる立場から見られて、日本の民主主義が抱えている一番大きな問題って何だと思われます？

猪口　まず、女性が選挙に出にくいし、当選した女性が当選し続けることは難しいし、そういう意味では**ジェンダーバランスが極端に悪い**から、当然政策バランスも悪くなっている可能性がある。私が女性だから女性的なテーマをやるということではないけれども、**多様性**という視点ですね。

さらに多様性が欠けているという話でいえば、若い政治家も少ないし、あるいは「地盤・看板・鞄《かばん》」のない人が選挙に出てくるということが難しいともいわれている。

ただ私は、地盤・看板・鞄がまったくなくても当選してきたわけです。公職選挙法が政治改革の中で度重ねて改善されてきたことで、すごいお金持ちじゃなくても、父の代から何かを譲り受けてなくても、研究者および主婦として、政治の世界に普通にうって出ることができた。政治資金改革はそこまでなされています。

駅に、来る日も来る日も朝6時半から立って自分の訴えたい政策を訴えたり、自作の国政報告のビラを撒《ま》いたりといった努力を続けられる環境があるかどうか。「小選挙区でたった1人しか当選できないとしても、女性の政治家でもいい」と思える有権者の層がたくさん増えてくるか。

女性だからいいということではないけれども、**女性が増えるということは、多様な背景を持った人が国民の代弁者・代理者として立法府において仕事をすることの象徴になる**わけです。

民主主義の中で、こうした多様性のある政治家が出てくれれば、例えばその人自身は別に少子化のことに関心がなくても、そこに執着する意見について理解を示す、という形で徒党を組むことができるんですよ。

議員になってみれば分かるんだけれども、1人では何もできないんですよ。やはり仲間をつくってガーッとやらないとダメなんですね。

女性の議員が少なくて、「少子化は女子どものテーマかな」という空気がつい最近まであったのを、だんだんこうやって打破しているじゃないですか。

参議院では2019年に、女性議員が2割にいったんですよ。この間の統一地方選挙ではね、私も自分の選挙区でゼロだった自民党の女性県議を**3人も**誕生させることもできたんです。

国政において一本釣りされるというやり方ではなくて、そうやって地方議員のレベルから女子の参画を促して、下からガーッと**女性議員、あるいはハンディキャップを持つ人、いろいろな背景の人、そういう人が入ってくると、たぶん政策選択はより的確になってくるかもしれない。**そこをまずトライしてみたらいいと思う。頑張らなきゃダメなのよ。こういうことを言い続けて。

成田　根性ですか。

猪口　**根性。**できることを積極的にやっていく女性が増えて、チームをつくって運動を展開していく。国民運動も政策運動も展開していくことね。

例えば今私がやっている2つのテーマね。公立小学校のスクールバス、それから選択的週休3日制。これもですね、私と徒党を組んでくれるのはたくさんの男子です。女子もある程度いますけど。

だからあんまり男女関係なく、そういうテーマが大事だということを伝えながら運動していけば、もうちょっと意思決定に関わるレベルに女子が入っていけるかと思います。私も入っていきたいですよ、本当に。

「インターネット民主主義」の限界

成田 「民主主義をどうつくり変えたらいいか」みたいな問題に対して、2000年代ぐらいに、インターネットにすごい夢が託されていた時期があると思うんです。

「インターネットがコミュニケーションのプラットフォームになって、そこで飛び交う有象無象の声が、本当に開かれた新しい民主主義を可能にする」みたいな夢物語が語られた**時代**があった。で、**ひろゆきさんがやっていた「2ch」や「ニコ動」って、当時、その日本における象徴**的な扱いをされていました。

その後、世界的に見ると、「インターネットのゴミを集めても民主主義はよくなるどころか、むしろ悪化しかしない」っていう絶望が覆い尽くしたと思うんですよね。

この「インターネットによる民主主義の再生」みたいなことについて、当時、どう思われていたかと、今どう思われているかについて、ちょっとうかがえますか？

ひろゆき　昔と今とでそんなに変わってないです。ちょっと前に「IT大臣の人がパソコンに触ったことがないしUSBも分からない」[03]ってことがありましたけど、それが成立しちゃうのって、**国民の教育レベルの問題**だと思うんですね。

「ITって、世界・経済・国にとって大事だよね」って考えるのであれば、「パソコンも触ったことがないような人を大臣にするべきではないよね」ってなるはずなんですけど、国民が、「別にそれぐらいの人がなってもいいんじゃないの？」って思っていると、結果としてそうなるわけじゃないですか。これも民主主義の成果なわけです。

なので、**そもそも国民のレベルが低い状態があるので、「みんなが声を出せるようになりました」っていっても、レベルの低い人たちが声を出せるようになったっていうだけ**です。知識のない人、頭のよくない人がモノを選んでそれをしゃべるならば、結果として今まで通りが続くよねっていうのは予想通りでした。

成田　当時から絶望されていたってことですか。

03「IT大臣の人がパソコンに触ったことがないしUSBも分からない」

「サイバー担当なのにPC使ったこと「ない」　桜田五輪相」（朝日新聞デジタル、2018年11月14日）

ひろゆき　と思っているんです。絶望はしてないです。**そういうものだということ**です。

ただ僕は、**ある程度優秀な人は、自分が過ごしやすい国のシステムに行ったほうがいい**と思っているんです。

アメリカの、オウンリスクで働いて稼いでっていうのが好きな人はアメリカに行けばいい。高福祉を得たい、高福祉の国がいいんだったらじゃあ、日本にいたりとかヨーロッパに行ったりとかで、ある程度の経済力と仕事する能力がある人は、自分の好きな社会システムを選ぶっていうことになっていくと思うんですよね。

今の日本の場合、いまだにそういう考えが主流にならないのは、ほぼ日本語しかしゃべれない人がいるからだと思うんです。日本語しかしゃべれないので、「じゃあ日本をどうしよう」という話になるんですけど、逆に日本の中だけで決めることができます。

一方でヨーロッパの場合、「フランスの税率が高くなったから、俺はベルギーに住むわ」とかっていう人がいる。

他の国と簡単に比較できるので、他の国よりもよほど悪い状況にすると、どんどん金持ちが逃げていっちゃうから、「他の国と同じような状況にしなきゃいけないよね」っていうパワーバランスが働く。そういう意味では**ヨーロッパのほうが社会システムとしてはうまくいく確率が高いんじゃないかなと思っています。**

成田　その「国家間の競争や政治システムの競争で人が行ったり来たりすることが格差を

つくり出す」みたいなことはよくいわれるじゃないですか。**そういうことを理解できてお金がある人は国境をまたげるけど、貧乏な人は動けない。**

この問題についてはどう思われます？

ひろゆき　もうすでにそうなっていますよね。さっき千葉の高齢者が未来のことを考えるか考えないか、みたいな話をしていたんですけど、「未来の子どもたちがいる人たち」って考え方自体がもう間違っていると思うんです。

今の男性の50代って4分の1の人って結婚してないんですよ（図4）。そういう人は、子どももいないし孫もいないから、そもそも自分たちを託す未来なんかなくて、そちらに投資をしようという発想すらないんじゃないですか。

子どもとか孫のいる人だったら「自分がおいしい思いをするばっかりじゃなくて、子どもの教育とかに回したほうがいいよね」とか、「孫も幸せになったほうがいいよね」って考えるんですけど、前提から違う人がすでに日本に4分の1はいるんですよ。

図4　50歳時未婚割合の変化

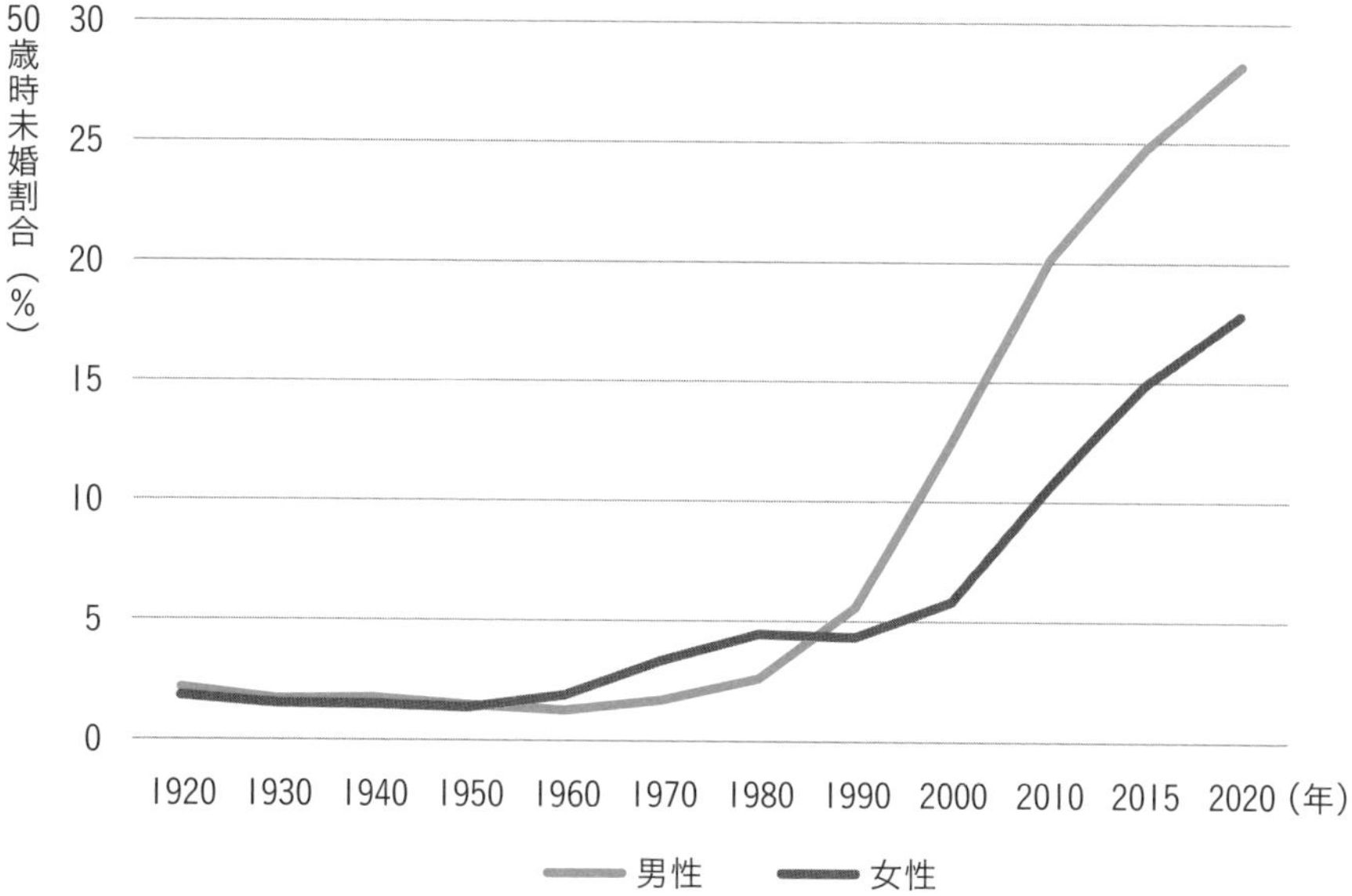

出典　国立社会保障・人口問題研究所「人口統計資料集(2022)」（総務省統計局『国勢調査報告』により算出。45～49歳と50～54歳における割合の平均値。なお2015年、2020年のデータは、配偶関係不詳補完結果に基づく）

入閣時の奇抜なファッションに隠された、猪口邦子の決意

成田 今日、どうしても話したい論点があるんですよ。それがこれでして（写真）。

猪口 突然やめてよ。

成田 民主主義とファッションの関係について、最後にどうしてもお話ししたいなと。猪口先生といえば、これって。

最初見たときに、絶対にコラージュだろうと思ったんですよ。歴代の入閣の際の記念撮影の写真を順番に見ていったりしていくら調べてもコラージュではなくて、リアルニュースだってことが発覚して、「えっ？」っていう感じで衝撃を受けたんです。

どうしてもうかがいたかったのは、猪口先生のファッションは、民主主義とどういう関係にあるのか、ということです。

猪口 よく聞いてくださいましたね。

第3次小泉純一郎内閣（2005年10月31日改造）。最前列で青いドレスを着る猪口氏
写真：ロイター／アフロ

成田　民主主義にとっての政治家の見た目とかファッションとかって、どういう存在なのか。

猪口　私がどういう決意で、この青いドレスを、この日にまとったか。

成田　郵政民営化どころじゃない、ただならぬ決意が、ここに表れていると思います(笑)。

猪口　ありがとうございます、成田先生。

ずっと昔なのですけれども、そのときの思いは、男女共同参画にあります。

私は、上智大学の現場でたくさんの学生たちを教えながら、**ものすごく優秀な女子学生たちが全員職場を辞めて、全員家庭に入って、その後二度と社会に出てこられない**ことがあったんです。私は彼女たちを、何度も呼び戻そうとした。「大学院にいらっしゃい。こちらの就職なら、いったん辞めても再雇用の余地がありますよ」って呼びかけました。

だけど結局、その時代は子育てとは両立しないということで、**ある世代の女性たちを日本は失っていた**んですね。

それで閣僚に呼び込まれたときにちょっと決意をして、**「すべての女性の頭上にも、青空を」**と思ったんですよ。青空。だからブルーでなければならなかったんです、本当に。

成田　ふふふ。

猪口 笑わないでよ。今になって解説しているんだから、いいじゃん。

ひろゆき これはすごい正しいことだと思います。黒い服を着てみんな顰《しか》めっ面しなきゃいけないっていうのは思い込みで、単なるしきたり以上の意味はないじゃないですか。

やっぱり政治家って、国民がいろんな思いを、「じゃあ私たちの分をお願いします」って1票を投票するので、全然違う人がいるっていうことが大事だと思うんです。

それで猪口先生がうまくいったとなると、他の人もどんどん自分たちの色を出していくじゃないですか。それで「自分が信じられる人」とか「自分の価値観を乗せられる人」がどんどん増えていくことになりますよね。

なので白黒一面のおっさんたちの中に、そうじゃない人たちが出てきた、という象徴的なことです。その後に増えていないのは問題だとは思うんですけど、この猪口先生の姿勢は僕は正しいと思っています。

猪口 ありがとうございます。

民主主義のミライは明るいか？

パンダ　庶民代表としてちょっと聞かせてください。今までの議論を聞いている中で思ったのは、**民主主義っていう制度は非合理によって支えられている側面ばかり**なんじゃないかということです。

例えば猪口さんみたいに朝6時半から毎日、駅前に立っていても、あらゆる批判にさらされなきゃいけない。

それと、千葉のご高齢者の話ですね。子どもはいないけど、次の世代のことを考える。これが本当だとすると、非合理だと思うんですよ。合理性でいえば、自分がそのあと楽に暮らせるようにと考えればいい。けれども、子どもがいなくても次の世代のことを考える。そういう**非合理に支えられた道徳とか倫理で、民主主義は成り立っているんじゃないか、**と感じたんです。

となると、結局、民主主義が選択されているのは、他の政治制度との比較でしかないなと思ったんですね。成田さんからは他の制度がいいんじゃないかって説もありましたけど、「そもそもじゃあコロナが生まれた国って民主主義だったんでしたっけ?」っていうところも含めて、民主主義以外には色々危険な側面があるから、民主主義を選択しているんだろうな、と。

そこで最後にみなさんに締めとしておうかがいしたいのが次の論点です。**非合理なところに甘えているこの民主主義の維持は不安定だから、考え得る限りの非合理なところを改善していくしかないんじゃないか、**というところです。

民主主義が直面してしまっている「非合理だけど受け入れなきゃいけない問題点」は何なのか?

それはどういうふうにしたら改善して、よりよい民主主義、より安定した民主主義になっていくのか?

猪口先生、現場に立たれている立場からのご意見をいただけますか?

猪口 私、この議論を本当に締めたくないです。**こんな真剣議論ってやっぱり自民党ではやらない**し、白熱教室みたいな部分もちょっとあって、本当に有意義じゃないですか。

まず気になったのは、駅に立っていることが非合理かどうか。駅に立っていると、いろんなことが分かりますよ。例えば、まず朝早くに来るのは、ハンディキャップを持っている方が多いんですね。混む前に、ってことで、そういう努力をしながら就職を続けている。そんなこととか。**駅は日本の縮図だから、そこに立っていると、民主主義の本質のことが分かってきます。**だから**私は政治家として有意義だと思っているので、そういう努力をすることが自分として非合理だと思っていません。**

それから、自分の世代の枠を超えて、子どもがいる・いないにかかわらず、次の世代のことを考える人たちの存在にも気づきます。例えば見たことも行ったこともない、遠いアフリカの子どものために「ODA（政府開発援助）の一部を使うべきじゃないか、いや、自分が寄付してもいい」という言葉にも出会ったことがあります。

時代を変えるのは知識ではなく、イマジネーションなんですよ。想像する力。

知識ではなく自分が出会ったこともない、見たこともないことを想像して何かを選択していく、そういう能力を持つ主権者は多いです。やっぱりそこに人間の可能性がある。

ですから政治家は、あるいはメディアは、その人が日常で経験してもないし人生で立ち会ってもない場面でも想像をして、対応する政治力は大事ですよねと、思ってもらえるようにしていくことが必要ですよね。もちろん押し付けはダメだけど。

合理性とか非合理性とかではなくて、その人のイマジンする力。**イマジンする力を人間**

に内在する力として位置付けて民主主義を語るといいんじゃないだろうかと思います。

パンダ　ありがとうございます。とても心に響きました。ひろゆきさん、いかがお考えでしょうか。

ひろゆき　ちょっと理解してもらえるか分からないんですけど、僕の考えを説明します。

僕は、**人類は非合理な方向に進んだほうがいい**と思っているんですよね。**合理的な方向って今のところ、「お金が儲かる」とか「技術革新」になる**んですけど、「ある国がお金を儲けるのが正しい」となると他の国も貧しい思いをしたくないですから、「お金を稼がなきゃいけないんで」となる。それで技術革新がどんどん進んでいきます。

また、合理性とかエコっていう視点で考えると、「電力は各家庭でつくったほうがいい」ということになるんですよね。ビル・ゲイツさんとかが投資していますけど、「各家庭に原子力発電所を置いたほうがいいんじゃない?」という話とか、テスラとかがやっていますけど、「蓄電池っていうのも各家庭に置いたほうがいいんじゃないの?」って。「こっちのほうが電気代が安いから」と考えると、こういう形で、各家庭にエネルギーの大きなものが普及していくようになると思うんですね。

でも一方で、「アメリカの原子力発電所がハッキングされました」みたいなニュースもあるんです。世界中にはコンピューターウイルスでハッキングされたパソコンは100万台以上あるといわれています。どこかのタイミングで悪い人が、「世界中の家庭の原子力発電所や蓄電池を一斉に爆発させせましょう」っていったときに、それができてしまうようになるのって時間の問題だと思うんですよ。

そう考えると、**もし人類をこの先3000年とか継続させたいのであれば、もう**

技術革新をするべきではないと思っているんです。

でも、**技術革新を止めることはできないので、「非合理なほうが楽しいよね」というのを、いつか多数派にしないと、そのまま人類滅亡の道に進むんじゃないか**と思います。

パンダ　なるほど、ありがとうございます。かなり示唆深いというか、色々なことを考えさせるご意見でした。宮崎駿さんの映画とかも思い出しました。

成田さん、いかがでしょうか？

成田　僕が言おうとしていたことが微妙にひろゆきさんのコメントと被っていて、このまいくとひろゆきさんの劣化版にしかならないので、ちょっと軌道修正して、ある言葉を引用して終わりたいと思います。

100年ぐらい前に世界が民主主義の危機を迎えていて、独裁っぽい勢力に対する熱狂が高まっていた時期に、ある政治学者が言った言葉です。

「民主主義者はこの不吉な矛盾に身を委ね、民主主義救済のための独裁などを求めるべきではない。船が沈没しても、なおその旗への忠誠を保つべきである。『自由の理念は破壊不可能なものであり、それは深く沈めば沈むほど、やがていっそうの強い情熱をもって再生するであろう』という希望のみを胸に抱きつつ、海底に沈みゆくのである」。

ケルゼン[04]の言葉でした。

民主主義は積極的にオワコンになって、一度海の底に沈んでもう一度復活すればいいんじゃないかなと思っています。

04 ケルゼン

ハンス・ケルゼン。1881-1973年。オーストリア出身の公法学者・国際法学者。1919年ウィーン大学教授に就任、翌1920年にはオーストリア共和国憲法を起草し、オーストリア憲法裁判所の終身判事に就任も1929年に罷免。1930年ケルン大学教授に就任、1933年ナチス政権成立と同時に罷免され、スイスの研究所に移る。1940年アメリカに移住。カリフォルニア大学教授。
この引用は、『民主主義の本質と価値　他一篇』（岩波書店）収録の「民主主義の擁護」より。

玉木雄一郎

Yuichiro Tamaki

選挙は結局、政策内容より「人気」と「分かりやすさ」が大事？

第3章

公開日
2022.02.20
2022.02.27
2022.03.01

本章は上記の期日に公開されたYouTubeからの抜粋・再編集です。

玉木雄一郎氏（以下、敬称略）
衆議院議員（香川2区・5期）。国民民主党代表。国民民主党香川県連代表。
1969年5月1日、香川県大川郡寒川町（現さぬき市）生まれ。元アスリート（十種競技）。今、自称「永田町のYouTuber」（「たまきチャンネル」登録者数は約14万人）。「たまきチャンネル」でときおり描くイラストが一部で好評、「たまき画伯」の異名も。好きな食べ物は、うどん、ラーメン、ぎょうざ、とんかつなど多数。趣味はピアノ（ギターコード譜で弾きます）、ギター、カラオケ（十八番は「あずさ2号」）、筋トレ、ランニング。全国高校生未来会議の各党代表者演説で五連覇達成。

「野党＝批判ばかり」のイメージの裏側

成田　**野党っていうと、よく「批判ばかりしている」とか「やたら追及ばかりしている」と言われる**と思います。

でも、玉木さんとか国民民主党って、そういうイメージがよくも悪くもほとんどないんじゃないかという気がしているんですけど、ご自身でもそう思われていますか？

玉木　あまり意識せずにやっているんですけど。というのも、特にコロナ禍になってからですが、結局、国民が政治に何を求めているのかなと考えたときに、たぶん与党とか野党とか関係なく、「とにかく大変だから、何とか乗り越える知恵とか政策を出して」「いいアイデア持っている人がいたら、どんどん提案して実現してくれればいい」っていう感じだと思うんですよ。私が一国民だったらきっとそう思うから。

だから、**「野党だったら与党を攻めなきゃ」とか、誰が期待しているのかよく分からない**

演技をするのはやめようと思ったんです。政治のお客様は国民なので、国民が一番求めることをした結果、ヒットすればいいし、ダメならダメで考え直すし、という感じです。

成田　そういうスタンスって、「国会中継で映る場面を増やして存在感を示していく」みたいなメディア戦略の意味でいうと、やっぱりマイナスなんですか？　それとも意外に独自のポジションでプラスになったりするんですか？

玉木　今は野党第3党なので、どっちにしても目立たないんですよ。で、**どうせ目立たないんだったら、自分たちがいいなと思うほうをやろう**と思ったんです。

成田　なるほど。

玉木　私は与党も野党第1党も経験しましたが、そこだと、どうしても夜の報道番組、「報道ステーション」「ニュースウオッチ９」「news23」「news zero」でどう取り上げられるか、という発想が先にきてしまう。中には、テレビプロデューサーと話しながら「今日の予算委員会では何を聞こうか」なんて話し合う野党議員もいますからね。

要するに**地上波に乗るのはせいぜい数分間の切り取り映像ですから、そこに乗りそうかどうかで質問内容を検討する**わけです。

それが本当に国民に求められている内容かどうかは分かりません。ただ、長年、同じフォーマットで番組制作が行われてきて、そのフォーマットに合うよう、いわば上手に「演技」できる人たちが野党第1党として質問に立ちやすいという、そんな実情もあるんです。

成田　今、玉木さんが挙げた番組にテレビ東京（テレ東）が入ってなかったので胸が高鳴りましたね。

玉木　あのね、国民民主党って、いってみればテレ東なんですよ、あえて言うと。

ひろゆき　ははははは（笑）。

玉木　他局が「誰が死んだ」とか「誰が浮気した」とかやっているのに、その裏で唯一、旅番組をやっているのがテレ東ですよね。**国民民主党は、他の政党がスキャンダル的とか政局的なことで騒いでいるときに、生真面目に経済政策を議論していたりする。**そういう立ち位置でいいかなと思っているんです。

ひろゆき　でも2021年の衆院選では、一応、立憲・共産党と組んで与党になろうとしたわけじゃないですか。

玉木　選挙の途中までは協力しようとしていた。でも最後の最後に離脱したんですよ。新人などで弱い選挙区で共産党と協力することもできたんですが、やっぱりそれはできないねという話になって、最後に「ごめん」と。そこからは立憲・共産の枠組みから抜けて独自に戦って、議席を増やしたんです。

選挙後、国会の中でもそういう協力体制があるにはあったんですけど、そこからも早々に抜けて、今は独自に「政策本位」で考えています。つまり政策的に一致できる点があれば他党にも協力を求めて、そこはもう与党野党関係なくやりましょうっていうポジションです。

明快で建設的——なのに「伝わっていない」不思議

ひろゆき　政策的なこともお聞きしていきたいんですが。「最低賃金は1000円にすべき」とか、国民生活の向上についていろいろと議論がありますよね。じゃあ国民民主党が政権に就きました、議会もおさえています、という状態になったら、日本をどう変えたいんですか？

玉木　まず経済のことでいうと、**「3つの4」**を実現したいというのは訴えてきました。**「賃金上昇率4％」「GDPの成長率4％」「日経平均4万円台」**をぜひ実現したい。実現できますから。

ひろゆき　目標は分かったんですけど、具体的にどんな感じで？

玉木　最低賃金を上げようというのもいいんですけど、なんか元気が出ない。それよりも、**もっと経済全体を元気にするような政策が必要だ**と考えています。

我々はとにかく積極財政[01]に振ったほうがいいと2年前から言っている。最近では岸田さんも言い始めましたけど、**科学技術とか教育など、いわゆる「人への投資」の予算を倍にする。**

ただ（商売を知らない）**国の役人が成長分野に投資しようとすると非効率が起こったりで失敗する可能性が高い**ので、我々は**「ハイパー償却税制」**というのを提案しています。これは実際に何にどれだけ投資するのかは民間の判断に任せて、税制面で大きく優遇するというものです。

科学技術、教育、環境などの成長分野に、例えば10億円を投資したら、15億円分の償却[02]を認めるというように投資額以上の減税効果を出す。

こんなふうにして、**民間で働く市場原理を最大限生かしつつ、政府が税制面で強力にバックアップするようにすれば、成長分野への投資はどんどん進みますよ。**ゆくゆく投資された成長分野が伸びて国の税収が上がれば、何年か後には回収できます。

01 積極財政

経済の拡大や社会資本の整備のために、積極的に支出を増やそうとする政策。

02 償却

投資にかかった費用などの埋め合わせをすること。ここ述べられているのは、投資した分以上に税金を軽くする（＝償却する）ことで、投資をより促そうという考え。

ひろゆき　ほお。

成田　今の日本の企業って、全然投資しないですよね。なぜだと思われますか？

少なくともコロナ前のアベノミクス時代なんかでは、企業の利益はそこそこ伸びていて、だけど、それが内部留保[03]に回りがちで、**投資にも回らなければ労働者にも回ってなかった**わけですよね。それはなぜなのか？

玉木　デフレだから全体的に非常にコンサバティブ（保守的）になっているんですよね。日本国内のマーケットが小さくて資金を投じても仕方ないから、とにかく何かに備えて貯めておこうという発想もあるでしょう。

そもそもデフレだと現金を持っていたほうが有利になる[04]ということで、内部留保が合理的な経済環境になっているのがよくないと思うんですね。

しかもサラリーマン企業、サラリーマン社長が多くて、新しいことに挑戦したり冒険したりといったアニマル・スピリッツに乏しい。それに加えて経営者の平均年齢が上がってきているというのも、元気を失っている一因だと思います。

03 内部留保

企業が生み出した最終的な利益から、税金や配当などを差し引いたもの。社内に蓄えられるお金のこと。

04 デフレだと現金を持っていたほうが有利になる

デフレ時は、物価が下がり現金の価値が上がる。例えば、ある時点で 1000 円だったものがいずれ 800 円になるならば、1000 円の時点で購入するのは控えて現金で 1000 円を持っていたほうがいいということ。

なぜ景気対策は「外れまくって」ばかりなのか

成田　さっき「3つの4」を実現したいという話があって、その方法の1つが「ハイパー償却税制」という話はありましたが、「賃上げ4％」を達成するために国ができることというと、何があるんですか？

玉木　**個人にお金を配る**っていうことですね。**要はベーシックインカム的な話ですけど、税金としてもらっているものを戻したほうがいいんじゃないか**と。

ある程度、国債も発行して、しばらくは国民の購買欲、需要を強制的につくるっていうことをしたほうがいいと思っているんです。いわゆる**「ハイプレッシャー・エコノミー（高圧経済）」**ってずっと言っているんですけど、供給を上回る需要を一時期、強制的につくるしかないと思います。

成田　元大蔵官僚とは思えない発言……！

玉木　バカじゃないかとか言われますけど、いろいろな景気対策をやってきた結果、私はそう考えるようになったんですよね。

唯一、この点で考えが合致したのは、元FRB（米国連邦準備理事会）議長で、いま米国財務長官のジャネット・イエレンさんです。彼女は2016年、FRB議長だった頃に、「経済危機による損失を修復していく唯一の方策はハイプレッシャー・エコノミー政策である」という考えを示したんです。そのときにイエレンさんは、「リーマン・ショックのような大きな危機が起こったときに需要がドーンと落ちるのは一時的な影響ではなく、供給サイドにも長期的な影響を与えるんだ」ということを言っていた。それが非常におもしろいなと思って、考えが一致したんです。

一企業に当てはめて考えれば、実は当たり前のことなんですよね。需要が一気に落ちる、つまりお客さんが一気に減ったら何をするかといったら、まず新規雇用を止める、設備投資も止める、研究開発費もかけなくなる。この成長の三要素が落ちるわけですが、それが経済全体で起こっているんじゃないかというのがイエレンさんの発想です。

私も**リーマン・ショック以降、ある意味、非常にオーソドックスな景気対策をしてきたのに、どうして効かないんだろう**と考えたときに、やっぱり大事なのは需要なんじゃないかと思い至りました。

規制緩和などで供給サイドの活性化を図ったらいいというのも1つの考え方かもしれないけど、何か違う。何よりめぼしい効果が出ていない。だとしたら、供給以上の需要をつくるしかないんじゃないかと思ったわけです。

ひろゆき　国民にお金を配るっていうのを実際にやったとして、30代とかであれば、これからの人生もあるから「投資をしよう」とか「自分が長期で使うものを買おう」という発想になると思うんですけど、今の日本の平均年齢って50歳を超えていますよね。

そうなると、**お金を配っても「老後のために貯めておこう」以外の選択肢がない**と思うんですよね。

玉木　たしかに高齢化に伴って消費性向[05]が落ちているというのは問題なんですけど、それは、例えば**使用期限付きにして「今のうちに旅行にバンバン行ってくださいね」とか「いい老人ホームに入ってくださいね」とかいう話にすれば、高齢者だって使うでしょう。**

ひろゆき　でも、そういうふうに、高齢者にお金を使ってもらうようにするとなると、「高齢者が回す経済のほうが利益率が高い」ということになって、IT化がますます遅れる気がするんですよ。

05 消費性向

ある一定期間に得た所得のうち、どのくらいを消費にあてるかの割合。

玉木 そこは**ＩＴの使い方次第**じゃないでしょうか。配るときにも「電子マネーで配るから、必ずスマホを持っておいてください」と通達して、どうしても持てない事情のある人には格安スマホを国から配るとかね。

そこで電子化とキャッシュレス化を一気に進めればいいと思います。

もちろん、「どうしてもできません」っていうお年寄りも出てくるでしょうが、そうしたら**「デジタル民生委員」**みたいな人を付ければいい。

民生委員といったら、今までは功なり名を遂げた人がなるものだったけど、そうじゃなくて、大学生や大学院生など、お金がなくて困っている若い人にデジタル民生委員になってもらって、お年寄りにスマホの使い方から電子決済のやり方から何まで全部教える。それを1年も続ければ、ガラッと変わると思うんです。

「今の20代以下はものすごく損」は本当か？世代間格差の問題

成田 この国はどうも余計なことをして足を引っ張るのが得意っていうのは、やっぱり、ムキムキの元気な高齢者がたくさんいるからなんですか？

玉木 もうちょっと若い人が活躍しやすいようにしてあげたらいいなとは思いますね。

私は、**30歳以下は所得税と住民税をタダにするという「若者減税」っていうのを提案しているん**です。というのも、生涯の受益と負担で考えると、今の20代以下の人ってものすごく損なんですよね。

だから20代、30代は所得税・住民税ゼロで稼いだお金は全部自分のものにしていいことにする。その間にめちゃくちゃ稼ぐ人もいると思いますけど、それでいいんです。そこで生涯年収に近いぐらい稼いじゃえばいいということでインセンティブを与えていくのもいいだろうし。

あともう1つ、「子ども国債（教育国債）を発行しろ」ってずっと私が言っているのは、**若い世代に使うお金は借金で調達してもいい**と思っているからです。で、その国債は個人国債にして65歳以上のリッチな人に買ってもらう。それに相続税上の優遇措置をつけてもいいし、別に優遇しなくてもいい。

最近、環境など社会的課題に対する取り組みに熱心な企業に投資するという「ESG投資」ってあるじゃないですか。要するに、あれを国がやればいいんですよ。

国債を売る相手を限定して、「国は教育とか科学技術にお金を使う。未来ある事業や人に投資するから、国債を買って助けてやってください」と。その結果として、**高齢者から若年層にうまく所得移転が起こるというようなことをやったらいい**と思うんです。

ひろゆき　教育研究が本業の成田先生[06]から見ると、この話はどうなんですか？

成田　**できるならおもしろいし、やってみる価値はありそう**だと思う。だけど

06 教育研究が本業の成田先生

2021年以降のYouTubeやテレビなど様々なメディア出演に注目が集まっているが、本業はデータ・アルゴリズム・数学・ポエムを使ったビジネスと公共政策（特に教育）の想像とデザインである。

政治的に、とうていできそうにないなっていう気がしちゃったんですけど、どう思われますか？

玉木 私が大蔵省（現・財務省）に入省したのは1993年なんですけど、その頃の仕事は何だったかというと、「公債発行対象経費」を調べて整理するってことだったんですね。要するに「借金で調達できる経費は何か」ということ。

例えば橋や道路については国債発行で資金調達して建設するということで、財政上、「建設国債」というのを発行できるようになっています。なぜかというと、橋や道路は多年度にわたって便益が及ぶから。

つまり「後世に残る資産であり、後世の人たちにも建設費を負担してもらっていいものだから借金で賄《まかな》ってOK」ということです。一応、理屈が通っているでしょ？

ところが当時、調べていて驚いたことに、日本育英会[07]の出資金も実は建設国債発行経費だったんです。

びっくりして「どうして建設省や運輸省じゃない文部科学省所管の教育に、建設国債を発行しているんですか？」って聞いたら、**「玉木、何を言うんだ。人こそ後世に残る財産だろう」**と言われまして、大いに納得した覚えがあります。

07 日本育英会

日本育英会法に基づき、優秀な資質を持ちながら経済的理由により修学の困難な学生・生徒に対する学資貸与等の育英事業を行った特殊法人。2004年3月末廃止。学生への奨学金貸与の事業は、同年4月に設立された文部科学省所管の独立行政法人日本学生支援機構（JASSO）に継承された。

そしてこれは当時だけの話じゃなくて、今でもそうです。今回、岸田政権の肝いり政策として「10兆円の大学ファンド」[08]ができましたよね。ほとんど知られていませんけど、これも建設国債を発行して資金調達しているんですよ。

ただ私の考えとしては、もっと対象を広げて、**今後ますます進むIT の時代、AIの時代に活躍する人材を、今こそ一番力を入れて育成していかなくちゃいけない。そのための国債発行だったらやるべき、**というのが、公債発行対象経費の整理を担当していた当時からの発想なんです。

今は土木系など公共事業の投資乗数[09]がずいぶん小さくなってきているから、なおのこと、そこは縮小して、人への投資として国債発行する。

教育については、経済学者のジェームズ・ヘックマン教授による「ペリー就学前プロジェクト」[10]など有用な研究がたくさんあります。そういうものもちゃんと学んで、初等教育の生涯にわたる影響はどれくらいか

08「10兆円の大学ファンド」

国際競争力を強化するために、国内トップクラスの大学（国際卓越研究大学）をファンドの運用益で支援する制度。

09 投資乗数

予算を投入したときの効果を表す指標。

10「ペリー就学前プロジェクト」

経済的に恵まれない３～４歳のアフリカ系アメリカ人の子どもたちを対象に、午前中は学校で教育を施し、午後は先生が家庭訪問をして指導にあたるもの。

など、教育の投資乗数を分析する。その上で、文字通り「建設」に使われる国債とはきっちり切り分けて教育目的の国債を発行したらいいんじゃないかと政府に提案しています。

成田　実際、そういう「人」に対する投資は増えているっていう現状があるんですか？　それとも制度的には可能だけど、まだ増やせてないっていう感じなんですか？

玉木　教育や科学技術の発展のために使われる「文教及び科学振興費」は、昭和の最後で5・2兆円、平成の最後で5・9兆円ぐらいだから、この30年間でほとんど変わっていません。

一方、国家予算は平成の30年間で約1・7倍になり、もう100兆円を超えている。年金・医療・介護費は約3・3倍。国債費、つまり国の借金は約2倍。

未来のために一番重要な教育と科学技術に使われている資金は30年間ずっと横ばいなんですね。

岸田政権になって、ようやく「人への投資を倍にする」なんて言っていますが、じゃあ本当に倍になるかと思いきや、文教及び科学振興費は、令和3年度で5兆3969億円、令和4年度で5兆3901億円と、**せこくマイナスになっていた**という。**言っていることと、やっていることがずれている**わけです。

また、よく指摘されていることですが、子育て世帯向けの支出のGDP比なんかも、OECD加盟国の平均以下[11]ですからね。せめてOECD平均ぐらいには増やさないといけません。

何しろ**天然資源に乏しい日本が生き延びていくには、何よりも人という資源を伸ばしていくしかない**というのに、これほど人に対する投資を怠っていたら、もう衰退の道しかないですよね。

11 子育て世帯向けの支出の対GDP比なんかも、OECD加盟国の平均以下

経済協力開発機構（OECD）の調査によると、各国の子ども・子育て支援に対する公的支出のGDP比（2017年）は、OECDに加盟する38カ国の平均2.34%に対して日本は1.79%と下回っている。

「今日の生活費をどうにかしたい人」にも「理想のミライ」は描けるか

成田　それを乗り越えるためには、高齢者が大方を占めている世論とか、一般国民に素直に響いて受け入れてもらえるような、人への投資ストーリーみたいなものをどうつくるかっていうのがカギになるのかなと思うんですけど、それはどうしたらできますか？

玉木　日本人は比較的、物分かりがいいほうだとは思いますが、それでも**貯金ゼロの単身者や、高齢者でも生活に困窮する人が増えていたりすると、なかなか正論が通じにくい**という難しさはあります。
「子どもたちの未来、日本の未来に対する投資です」と訴えれば通じるかと思ったら、**「子どもなんかより、まず自分にくれよ」「未来よりも今をどうにかしてくれ」という考えの人も相当数いる。**それは先の総選挙で痛感しましたね。

成田　高齢者が高齢者優遇を好むのはもちろんですが、かといって若者世代が教育への投資を支持するわけでもない。
今の**20代、30代って資産ゼロ、貯金ゼロみたいな人も少なくない**わけですよね。そうなってくると、いくら「科学技術だ、教育だ、そこに集中投資すれば30年後に日本は豊かになりますよ」なんて話をされても、「いやいや、今日このときの生活費に困っているんですけど、何とかしてくれませんか？」っていう話になるのは、もう、しょうがないかなって気もするんですよね。

だからこれは高齢者だけの問題ではなくて、**ちょっとずつ貧しくなっている日本国民全体の問題**なのかなと思います。

教育とか科学技術研究への投資は、やがては投資された子どもたちが大きくなってたくさん稼いだり、研究成果が出たりすることで、国の税収として返ってくるので、**長い目で見るとコスパが最もいい政策**ですよね。

玉木　そう言われますよね。

成田　はい。**お金が出ていくだけではなくて、むしろお金が将来的に返ってくるようなタイプの政策である可能性が高い**と思うんですよね。

これをどういうふうに、**ごくごく普通に生きていて、あまり未来のことなんて日常生活で考えることがないような人たちに伝えるか**という**「伝え方問題」が深**

刻なのかなっていう気がしちゃう。

玉木　そうですね。あと、**だんだん深刻になってきていると思うのは、生涯未婚世帯が増えていることですね。**例えばコロナ関連で0歳から18歳に10万円を配るという政策では、960万円の所得制限を外すかどうかで大揉《おおも》めする局面もありましたけど、そもそも「何で子どもがいる人だけお金がもらえるんだ」みたいな反発がけっこうありました。

それと最近、私が受けた相談では、こんな話もありました。30代女性で一生懸命に頑張って働いてきて、それなりに収入もあるんだけど、いろいろなタイミングでパートナーに恵まれなかったり、子どもが持てなかったりしていて、「何とか子どもだけは欲しいから、いい精子バンクを紹介してくれませんか」と言うんですね。

私は紹介してあげられませんけど、そもそもどうしてそういう相談になるかというと、その方が言うには、**「子どものいるシングル女性はいろいろな優遇措置を受けられるけど、頑張って働いている、子どものいないシングル女性には何の支援もない」**と。

こういう背景を見てしまうと、「子どもは大事、だけど子どもばかり手厚くするのは受け入れられない」という層を生み出す土壌がだんだん広がっているなという気もします。

「国民への説明」をブラックボックス化してしまえ

ひろゆき

「教育とか科学技術に投資したほうがいい」という話を聞いて納得できるのって、結局、たぶん偏差値が高い人たちなんですよね。それなりの初等・中等教育を受けて大学までいって、と教育にお金をかけることのメリットを受け取ってきた人たち。だけど偏差値60以上って日本の人口の15％ぐらいしかいなくて、その15％の人たちは大卒で頭もいいわけだから食いっぱぐれることはない。で、科学技術への投資って、要は大卒とか大学院にいった人が研究するための予算じゃないですか。

そうなるとやっぱり、「そういう層にお金を出しますよ」って言ったら、**日本の85％の人たちは、「いやいや、何で、そんなどんどん金稼げるような奴らばかりに金を突っ込むんだ」って思っちゃう気がする**んですけど。

玉木　鋭いですね。ただ**アメリカや中国は、もう圧倒的に教育や科学技術にお金をかけているのも事実**なので、やっぱり日本はこのままではいけない。

そこのところのコンセンサスを、この民主主義国家の中でどうやって得ていくかは、きわめて難しい。

ひろゆき　もちろん話は分かるし、僕も正しいと思うんですけど、やっぱり問題は説明の仕方だと思うんですよね。

成田　うん。

ひろゆき　**いっそ説明しなくてもいいんじゃない？**

予算などお金の動きを細かく理解した上で文句を言う人って結局は頭のいい人たちなので、教育予算を増やしたときに、別にそれを公表しなくていいと思うんですよね。だってそもそも、建設国債として発行して資金調達している時点でおかしいわけですから。

玉木　まあ、おかしいといえばおかしいですね。

ひろゆき　本気で違法性を問うなら裁判所で争うべきレベルの話だと思うんですけど。そうじゃなくて制度的に可能ということだけなら、もう建設国債をバンバン出してバンバン科学技術や教育に投資して、「でも税金はいっさい増やしていません。国債で賄ったものは未来の人たちが払うだけだから、今の人たちは負担ゼロです」と言えば、そこに大きな不利益や問題を見て取る人はいないんじゃないか。だから、**ちゃんときれいに説明しなきゃいけないっていうのが間違いなんじゃないかな**って思うんですよね。

成田　それは、**できるだけ一般向けには説明せずにブラックボックスにしておいた上で、正しい政策にお金がつくような仕組みをつくるにはどうしたらいいか**っていう話ですよね。だとすると、世論とは関係なく、今、話していたような重要な政策にお金が流れるようにするために、永田町と霞が関の力学的には何が重要だと思いますか？

玉木　今の日本の財政構造がどうなっているかというと、まず２０４２年まで65歳以上人口が増え続けるという、この所与の条件の中でやらないといけないんですね。何も有効策を打たないし、制度も改善していない中で、あと20年間、毎年毎年、年金・医療・介護のお金は増え続けるわけです。

そして予算の組み立ては、その増え続ける年金・医療・介護のお金を確保するために、いかに他の予算を削るかという発想で行われている。

まったく、夢も希望もないですよ。

国民が知らないうちに、どこか将来有望なところに流すんじゃなく、**国民が知らないうちに、教育を削り、地方を削り、農林水産なんかも削って、全部年金・医療・介護に回すというのを20年やってきている**し、**このままだと同じことが向こう20年も続く**ことになるんです。

成田　そういう少子高齢化とかの問題って、これから他国も次々直面していくものじゃないですか。だから日本がどう対処するか、あるいは失敗して地獄に落ちるかを他国はすごく見ているんだと思うんですよ。

じゃあ、はたして逃げ道というか、思ってもみなかった解決策があるのか、それとも、もう諦めるしかないのかっていうのが気になっているんですよね。

玉木　難しいところですね。このまま普通にしていれば自然増で高齢者が増える。そこに予算を回さざるを得ないから、教育や科学技術のお金を減らすしかないんですよ。でも、そんなことをしていたら日本の未来はないから、**せめて借金できる能力があるうちにどんどん借金して、次の世代に注ぎ込んでいくべき**でしょう。

だから私は、しきりに国債発行してでも教育に投資しなくちゃいけないと言っているんですね。

将来、どんな問題が起こるかなんて誰にも分からないから、完璧に予測して完璧に備えることはできません。ただ1つだけ私たちにできるのは、いろいろな問題に対処、解決する能力のある幅広い人材を未来に向けて送り出しておくこと。これしかないんです。

アメリカの科学技術の発達スピードに日本が追いつけない根本原因

成田 国の仕組みがまったく違う中国はあまり参考にならないと思うんですけど、アメリカという国が、何であんなふうに科学技術政策を、国として継続的に支えることに成功してきたんだと思われますか？

玉木 ひとことでいえば、**科学技術は軍事技術とつながっている**からですね。科学技術予算の多くはペンタゴン（国防総省）経由だったりするし、民間でも「デュアルユース（二重の用途）」といって、半分は軍事に使えるものとして技術開発している。インターネットが好例ですよね。

要するにアメリカは国防や軍事という観点が科学技術を強く支える基盤になっている部分が大きい。そこが自前の軍事力を持たないということでやってきた日本の難しいところですよね。

ただ今回のコロナをきっかけに、国民のみなさんに比較的理解していただきやすかったんじゃないかと思うのは、科学の基礎研究などは、医療にまつわるところで、最終的にはみなさんの健康のメリットになるということです。だから**科学技術の中でも生命科学なんかは、「こういうところにはちゃんと投資しないといけないよね」と理解が得られやすい**んじゃないかと思いますね。

成田　一方で、**科学技術とか教育機関と軍事をすごく分けなくちゃいけないっていう、日本人には強烈な軍事アレルギーがあります**よね。これは変えられないものなんですか？

玉木　アレルギーはありますね。そこは変えられたらいいんですけど、例えば日本学術会議でも、科学研究の成果が時として科学者の意図を離れて軍事転用されることに警鐘を鳴らしていたりとか、けっこう難しいですね。

コロナにしても、アメリカであれだけ研究が進んだのは、**やっぱり医学と軍事は地続きだから**ですよ。アメリカやイギリスで感染者が増えたときにバッと野戦病院が整備されたのだって、もともと医療と軍事が密接だからです。

その点、日本は防衛省にお願いして自衛隊にワクチンの接種会場を整備してもらったりはしましたけど、あくまでも軍事とはいっさい関係がないという切り分けがありますね。

日本の「カネ」と「借金」の話
──オモテとウラの解決策

成田　年金・医療・介護にお金を回すために教育などが削られているっていう話がありましたけど、逆に**年金・医療・介護のお金を目立たないように削って教育に回す方法ってないんですか？**

国って、消費税みたいな分かりやすいチャンネルの他に、いつの間にか給料から天引きされる社会保険料が増えていて、よく見たら手取りがかなり減っていたみたいな、こちらに分かりづらく削る手段を持っているじゃないですか。そういうのを年金・医療・介護でできないのかなって思うんですけど。

ひろゆき　タバコじゃないですか。

玉木　医療費を削るということなら、データヘルスで被保険者側の機能を強化することだと思います。

今はマスの医療データを集めて、どういう人がどういう病気になりやすいのかという傾向を弾き出せますよね。そこにおそらく個人の遺伝情報とかを加えれば、ある程度は「何歳でこういう病気になるリスクがこれくらい」などを数値化できて、それを予防するために運動はどうする、食事はどうする、生活習慣はどうするっていうのが今後は可能になっていくと思うんです。

これを、国民の理解とコンセンサスを得た上で、民間企業の協力も得つつやっていけば、国民全体の健康増進になって結果的に医療費は減りますよね。

こんなふうにデータを活用して保険者の機能を強化する、言い換えれば、**いろいろな行動変容も含めて「何をしたら病気を防げて、健康でいられるか」という自助努力を可能にしていくことで、このまま高齢化が進んだとしても、実は医療費の増加ってかなり抑制できる余地がある**と思うんです。

成田　そういうのが「ホワイトな解決策」だとしたら、たぶん、その裏側にある「ブラックな解決策」が、さっきひろゆきさんが言おうとしていたタバコなんですよ。

ひろゆき　アルコールやドラッグは労働生産性を下げるのでよくないんですけど、タバコは労働生産性を下げないから、喫煙者でも元気に働いて納税できるんですよね。だけど常習していると、数十年後、ちょうど年金受給年齢に達する頃に死亡する確率が高い。だから**「タバコを吸うと早死にしますよ」**じゃなくて、**「タバコを吸うのはクールだ」というイメージを広げれば、ゆくゆく国が払わなくちゃいけない年金が減る……。**

成田　**……というのは悪い冗談**として。

玉木　ホワイトの話だけすると、やっぱり、政策的には、できるだけ健康で長生きしてもらう、そのためのインセンティブ付けをどうするかですね。

成田　あと、「安楽死」みたいな問題が日本の政治のど真ん中で議論されるようになるとは思われますか？

玉木　安楽死というか尊厳死については、私は6年前から言っていますけど、さすがに議論を始めないといけないと思いますね。

これだけ長寿社会になってきて、例えば日常生活を強く制限されるような不治の病にかかったり、末期の病気が見つかったりしたときに、自分の意思で「死に時」を決め、「生から解放される」という選択肢をつくるのかどうか。

オランダのように制度化するのか[12]というのも含めて、いろいろな要件を定める必要はありますけど、もう議論は避けられなくなってきていると思います。

12 オランダのように制度化するのか

オランダでは、2002年に世界で初めて条件を満たす患者の「積極的安楽死」が法制化された。

「正解のない重要な問題」を議論すらできない日本の現実

ひろゆき　例えば日本の病院って、もう自力で食べられなくなっている人にも「胃ろう」をつけて無理やり食べものを流し込みますよね。

それが**フランスの病院だと、食べられなくなったら自費で医療費を払うか、自宅に戻って静かに死ぬのを待つかの二者択一**なんですよね。だから安楽死、尊厳死ほど積極的なものじゃないにしても、「こういう状態になったときに、まだ生きたかったら自費で払ってくださいね。それを若い人が負担する必要はありませんよね」という価値観にしていくほうが、まだ受け入れられやすい気がするんですけど。

玉木　たしかイギリスもそうだったと思いますけど、「自力で食べられなくなったら」というのは、1つの基準ですよね。そういうコンセンサスを日本で取れるかどうか。

いずれにせよ、この長寿社会では避けられない問題なので、やっぱり政治の場でちゃんと議論していかなくちゃいけないと思います。

成田　さっき、ひろゆきさんが言った「胃ろう」の問題とかを、現時点で真面目に大々的に議論し始めたら、どういう世論的な反応が起こると思いますか？

玉木 世論的には一定の賛成もあると思いますけど、まず医師の間で反発が起こるんじゃないでしょうか。「少しでも長く生きてもらうために、できる限りのことをする」というのは医師法上の義務ですし、多くの医療従事者が持っているマインドだと思うので。

それに、元気なうちは「胃ろうを付けられてまで生きたくない。そうなったら潔《いさぎよ》く死ぬよ」なんて言っていても、いざとなると、家族とか周囲の人も含めて、本人も「少しでも長生きを」というふうに変わるものなんですよね。そういう意志のある人を無視することは絶対できないし、そのあたりのルールをしっかり決めていくにはそうとう時間がかかる。幅広い議論が必要でしょうね。

ひろゆき 「胃ろうには健康保険を適用しない」って決めればいいだけじゃないんですか。家族とか本人が胃ろうを望むなら「じゃあ自費でお願いしますね」という話だと思うんですけど。

玉木 胃ろうを健康保険から外すといったら、いろいろなところで議論が起こりますよね。保険審査は乗せるにしても外すにしても大きな政治課題になります。ただ反発も議論も起こるとは思うんですけど、尊厳死にせよ胃ろうの問題にせよ、**みんな頭のどこかでは、そろそろちゃんと考えなくちゃいけないと思っているはず**ですよね。だからこそ、しっかり国民に納得してもらえるような議論の枠組みをつくることが大事だと思いますね。

ひろゆき　メリットとデメリットをちゃんと伝える方法がないかなって思うんですけどね。例えば国民民主党の主導で胃ろうが保険適用から外されたら、「自力で食べられなくなった高齢者の知り合いが、自費で胃ろうの費用を払えなくて亡くなりました。玉木、まじムカつく」ってなるだけじゃないですか。だから、「胃ろうが保険適用でなくなったら、それだけ医療費が減って、そのお金が若い人に回ってきますよ」みたいな話にすればいいんじゃないですか？

玉木　おっしゃる通りなんだけど、例えば「胃ろうを保険適用から外したら、浮いた医療費が若い人に回りますよ」と言われたら、**「じゃあ自分にはいくら入るんだ」って思いますよね。実は微々たる額しか回ってこない**としたら、どうでしょう？

実際、「一定以上の収入がある高齢者については、医療費の負担率を増やす」という法案（第1章参照）がありましたよね。周囲に反対される中で私は賛成票を投じ、法案は通過しました。ただ、これで現役世代の負担が軽くなるといっても、**せいぜい、1人当たり年間数百円程度**なんです。

高齢者の負担を増やすという話なので当然、高齢者からは怒られます。かといって若い人たちは、まず無関心な人は無関心のままだし、関心がある人でも「なんだ、これしか負担軽減にならないのか」と落胆する。という具合に、政治的にめちゃくちゃ苦労して実現した割には、誰からも評価されないっていう難しさは痛感したんですよね。

ひろゆき　いや、僕は評価していますよ。**高齢者には嫌われるだろうけど、長期的に考えて日本のためにやった**わけじゃないですか。

玉木　そう、必要だと思ってやったんですよ。そうしたら**案の定、いろいろ怒られたけど、それよりも若い人から評価されなかったことのほうがショックだった。**

「票が集まる政治」とは？

パンダ　もう1つ、みなさんで議論していただきたいテーマがあるんです。最初に成田さんから「国民民主党は一番まっとうな野党だ」みたいな話がありました。じゃあどうして、そういう党が野党第3党に甘んじているのか、どうすれば国民民主党の言っていることがもっとちゃんと世に理解されるのでしょうか？

ひろゆき　中道のポジションで課題に応じて是々非々で論を出していくっていうのは、すごい正しいと思うんですよ。

でもそういうのって、いろいろなことが分かっている人にしか理解できない。**やっぱり自身の損得に直結するような医療費とかの話のほうが理解しやすい**じゃないですか。**日本国民の半分ぐらいは偏差値50以下なんだから、そういう人たちが分かるように説明できないと、やっぱり多数は取れない**んじゃないかなと思いますね。

成田　国民民主党のメッセージって、ある意味、**「内容がありすぎる」と**

いう呪いみたいなものもある気がします。

玉木　シンプルにすることですね。

パンダ　ひと言、「このイシューだ」って言うとしたら何ですか？　多岐にわたるとは思いますが、1つだけ挙げるとしたら。

玉木　やっぱり若者のことかな。政界って高齢男性が圧倒的に多いので、若者という問題意識で通じ合える味方が少ないんですよね。だから資源配分も高齢者優先になりがちでしょ。そこで2つ実現したいことがあるんです。**1つは「被選挙権年齢を18歳に引き下げる」こと。**

ひろゆき　18歳から政治家になれるってことですね。

玉木　選挙で投票するのは18歳からできるようになったけど、議員になれるのは衆議院で25歳以上、参議院で30歳以上です。それを18歳に引き下げれば、**高校生衆議院議員・大学生衆議院議員が可能になる**んですよ。

そうなったら、たぶん若い人たちがもっと選挙に行くようになるよね。**単に「政治に関**

心を持ってください」って言ったって、勉強に遊びに忙しいんだから持つわけないんですよ。

でも同級生とか、あるいは直接の知り合いじゃなくても同年齢の人が出馬していたら、一気に政治が身近になって「どれどれ、こいつは何を言っているんだろう?」「せっかく同じ世代なんだから、これを言ってもらおう」とか、政治に対する関心を持ったり行動を起こしたりする一番分かりやすいインセンティブになるんじゃないかと思います。

そして、**もう1つは「スマホ投票を可能にする」こと**。実は私、若い子たちに「どうして投票所に行かないのか」って聞いてみたことがあるんですよ。

そうしたら、「怖いから」「何人も大人がいてジロジロ見られながら投票したくないから」って言うんですよね。

たしかに投票所ってズラーッて大人が並んでいて、若い子が恐怖感を抱いても不思議じゃないのかもしれない。ある人なんて、前に万引きしたことがあって、それを投票所で洗いざらい話さなくてはいけないと思い込んでいたそうなんです。「過去のことがバレるから投票できない」って。

これは本当に知識不足だし情報伝達不足だとは思いますけど、いずれにせよ、スマホ投票ができるようになれば、全部解決しますよね。

というわけで、被選挙権を18歳に引き下げ、スマホ投票を可能にすれば、若い人が出馬するようになり、若い人が選挙に行くようになる。

結果として国会で若い人が相対的に増えて、若い人に目を向けた政策ももっと可能になっていく。

そういう連鎖反応が起こっていくはずなので、まずこの2つから始めたいですね。

第4章

片山さつき × 教育で国を立て直すことはもはや「不可能」!?

Satsuki Katayama

公開日
2021.12.19
2021.12.26
本章は上記の期日に公開された
YouTubeからの抜粋・再編集です。

片山さつき氏（以下、敬称略）
自由民主党参議院議員。自民党金融調査会長。副幹事長。
1959年埼玉県生まれ。1982年東京大学法学部卒業後、大蔵省(現・財務省)入省。1984～1985年フランス国立行政学院（ENA）留学。入省後の23年間で広島国税局海田税務署長、G7サミット政府代表団員・金融機関監督管理職、横浜税関総務部長、主計局主計官等、女性初のポストを歴任。2005年、第44回衆議院議員総選挙にて静岡7区で初当選、2010年に参議院比例区にて自民党トップ当選、2016年に参議院議員全国比例区で女性1位・自民党現職1位で再選。2018年10月～2019年9月まで第4次安倍改造内閣にて内閣府特命担当大臣として地方創生・規制改革・女性活躍推進担当として各種政策に取り組む。2022年参議院議員全国比例区3期目当選。

「世界の滑り止め」化する日本の大学

片山　私は、**もしかしたら大学に問題があるんじゃないか**と思っているんです。

成田さんがいらっしゃるイェール大学は、どこまでもすばらしいんだろうけど、日本の大学って、例えば頭のいい子が、2年で修士号を2つ取ろうとすると文句を言うんですよ。つまり、2年かけて取れるようなコースじゃないと修士じゃなくて、そこに人を張り付けて教授になれる人がいてっていう、そういうスタイルが好きなわけです。

そこが、いくら大学側に言っても改善されないので、岸田さんは、思い切って「大学もリストラします」という方針を打ち出しましたね。つまり「縦割りをやめます」っていうことですけど、それができたら見ものです。

私は、**日本人はバカじゃないって信じているん**ですよ。

何で信じているかっていうと、リーマン幾何学《きかがく》の数学者だった私の父親が、「日本の数学レベルは16〜17歳、要は高校までは高い」って、死ぬまで言っていたからです。「今でもそうなのか」って聞いたら、そうだって言うんですよ。

じゃあ、そこから先、いったい何がダメなのか。何をどう変えればいいんでしょうね。

成田 いや、**科学技術などに関しては、大学をどう変えるかっていう話以前に、もう根本的に日本は限界がある**と考えたほうがいいんじゃないかと思っています。

この国って、大学にしても、技術者にしても、科学者にしても、基本的に、全部日本人っていうプールの中から人材を調達し続けているじゃないですか。で、**日本の大学を目指して、世界中からすごい人材が集まってくる、みたいなことは過去に一度も起こったことがない**わけですよね。

それが変わらないとすると、**日本人の人材のプールが減っていったら、自然とアウトプットもすごい減っていくっていうのは、もうどうしようもない。**ほとんど自然現象に近いと思うんですよね。

そういう半ば不可抗力な自然現象的な流れに、あえて抗《あらが》って、変えたいと本気で思うかどうかっていうのが、まず日本の第1の岐路《きろ》なんじゃないでしょうか。

でも本当に変えていくには、かなり大きな変革が必要ですよね。例えば僕が、今いる大学から東大に移ったら、給料はどれぐらいになるかな。たぶん3分の1か4分の1ぐらいになるんですよ。

片山 知人のドクターが、医学部だとアメリカの大学の10分の1だって言っていました。

成田 ……という、**お金の問題がありますけど、これは、いろいろな問題の中で一番解決しやすい**と思っています。だって、お金さえあれば解決できるじゃないですか。

ただ、これが解決できたとしても、さらにいろいろな問題がありますよね。そもそも日本って日本語ができないと生活できないという国だし、今回のコロナみたいことが起こると、簡単に国境を閉じるような国[01]じゃないですか。

例えば誰もが知っているグローバル企業の日本のヘッドクオーターの社長で、日本の市民権がない人たちが、1回、実家に帰るために日本から出たら、もう日本に戻ってこられなくなったりしましたよね。そういうことで日本を恨んでいるような人が、僕の知り合いでもたくさんいる感じなんですよね。

さらに最大の問題として、日本の大学って、グローバルに見るとブランド価値がまったくないので、

01 簡単に国境を閉じるような国

日本政府は、新型コロナウイルスの感染拡大を受け、2020 年 2 月に入国規制を導入。一時的に留学生などの入国規制の大幅緩和が行われたものの、オミクロン株の流行を受けて再び強化され、2022 年 6 月から段階的に緩和されるまで厳しい入国制限が続いた。

あらゆる条件が、例えば東大とハーバード大とで同じになったとしても、ハーバードより東大を選ぶ外国人っていないと思うんですよね。

で、この壁を越えて何とかしようとすると、結局、中東とかアジアのトップ大学がやっているような、とてつもないことをやらなくちゃいけない。アメリカの給料水準の何倍もの給料とかをいきなり提示するとか、そういうレベルの、**日本の感覚からすると完全に狂っているとしか思えないことを、やらざるを得ない**と思うんですよね。

片山　でも、やる価値はあるんじゃないですか？　特にDX（デジタルトランスフォーメーション）とかについては。中国の清華大学はスタンフォードから人材を連れてきたりして、コンピューターサイエンスでは世界トップレベルになっていますよね。

成田　**あんなことに同意する日本人って、ほぼ存在しない**と思うんですよ。「東大が、海外のすごい研究者を引き抜きます、1人当たり1億円の給料を払います」みたいなことがニュースになったら、この国は、大変な騒ぎになると思うんです。

片山　でも、おもしろいじゃないですか、それ。

成田　今の日本の世論とか、日本人の価値観を前提とすると、とうてい、そんなことは政治的に実行できないと思うんですよね。どっちかっていうと、今、起きているみたいに、

「国公立大学にはもっと競争が必要だ。だけど、予算はつけたくない」っていうことで管理だけを強めていって、よく分からない評価みたいなことばかりをしていくみたいな、**ムチ打つ流れのほうが自然に起きちゃう**と思うんですよね。

だとすると、**日本の大学をどうグローバル化していくかとか、東大をどうやってハーバードと戦わせるのかっていうのは、もう、議論すること自体が、ほとんど時間の無駄**なんじゃないかと思っています。

日本人のプールの中でできることだけを無理なくやっていくっていうふうにしていってしまったほうがいいんじゃないか。どう思われますか?

片山 今のユニコーン企業[02]とか、世界のトップ50の企業を見ると、真面目なものづくりをしている会社って、ほとんど入ってないんですよね。トップ50にかろうじてトヨタが入っているくらいで、残りはほぼプラットフォーマー系なんですよ。

ということは、その設計を最初にやった非常に天才的な人材がいて、その人が会社をつくって儲けているか、それがどんどん他社を買収して儲けているか。そういうことしか起こってないので、そこの競争を全部捨ててしまうと、日本としては、

02 ユニコーン企業

評価額が 10 億ドル以上で、設立 10 年未満の未上場のベンチャー企業の総称。

第4次産業革命[03]**で勝者になれないだけではなくて、今、予想されているよりも、もっと取り分が減る**と思います。だから、そこの競争から完全に脱落してはダメだと思います。

ひろゆき でも、そこの部分の高い競争力が、はたして大学教育と大学教員のおかげなのかっていうと、たぶん、そうじゃないですよね。例えばＩＴ系でうまくいっているアメリカの有名企業で、「自分たちって、大学教育のおかげでうまくいったよね」って言っているところなんて、ほぼないと思うんですけど。

片山 でも、Ｐｈ．ＤとかＰｈ．Ｄキャンディデイト（博士論文提出資格者）ぐらいまでいっている人が多いですよ。

ひろゆき ワーカーはそうですよ。要はＩＴ企業としてうまくいくと、すごいお金があるから、めちゃめちゃ優秀な高学歴の人が働きにくるっていうことです。
でも、その土台を最初につくった人たちで、大学でめちゃめちゃ頑張りましたっていう人は、別に多くないんじゃないですか？ たぶんGoogleの人たちぐらい[04]だと思うんですけど。

03 第4次産業革命

IoT（モノのインターネット）やビッグデータ、AI（人工知能）などの技術革新。

04 たぶんGoogleの人たちぐらい

Google の共同創業者ラリー・ペイジとセルゲイ・ブリンは、ともに Ph.D.（博士号）ホルダー。2 人はスタンフォード大学計算機科学の博士課程で出会い、1998 年、スタンフォード大学を休学して Google 社を立ち上げた。

成田　たしかに大学の教育はそんなに関係ないと思うんですけど、**アメリカの名門大学内の生態系**というか、**人間関係のネットワーク**みたいなものは、いかにも関係してそうな雰囲気はありますよね。

片山　それはあると思います。

ひろゆき　そっちのほうが、でかいんじゃないですか。

成田　はい。むしろ大学の中で、プルーフ・オブ・コンセプト[05]みたいな形で、仲間と一緒に小さなビジネスをスタートして、そこから一気に花開くみたいなパターンが、けっこう多いと思うんですよね。

その点でも、やっぱり日本の大学は、いろいろと無理があるんじゃないかなと思います。**そもそも日本の大学には日本人しかこないし、アジアからの留学生はいますけど、ぶっちゃけ、****欧米の有名な大学にいけなかった人たちの滑り止め****的な感じで、ずっと使われている**わけじゃないですか。

片山　そうですね。

05 プルーフ・オブ・コンセプト

概念実証。新しい概念や理論、アイデアの実証を目的とした、試作開発の前段階における検証やデモンストレーション。

成田 やっぱり、日本の大学にきている人のプールっていうのが、全然海外の大学とは違うと思うんですよね。

大学政策とかが機能しないとしても、それは政策が悪いからでも、大学側が怠けているわけでもなくて、**ほぼ自然現象としてダメにならざるを得ない**っていう流れになっているんだと思うんです。何しろ人材のプールが、とてつもなく減っているわけじゃないですか。

日本人がノーベル賞とかフィールズ賞[06]とかをたくさん取れていたような時代とは、子どもの数がまったく違うので、その中から、すごい人材を出せっていっても、それは無理ですよね。

06 フィールズ賞

数学界における最高賞の1つ。国際数学連合（IMU）が4年ごとに40歳以下の研究者に授与するもの。これまで日本人は3人が受賞しているが、1990年以降受賞者は出ていない。

「若者が成功しづらい社会、日本」の実像

パンダ　ここで、ひろゆきさんに聞いてみたいんですけど。成田さんの先ほどの議論って、極論すれば、能力のある人はみんなアメリカに行くよねという感じで、規制をしないことで日本の大学が自由になっても、**ゆるりゆるりと安楽死していく方向に進んでいる、**ということだと思うんです。

だとすると、結局、アメリカが圧倒的に競争優位になっていくのか、というところで、フランスの制度が気になっています。アメリカと日本を比べたら、それは、みんなアメリカに流れていくでしょうけど、その点、フランスの高等教育はどういう感じなんでしょう？

ひろゆき　まず、アメリカって、世界中の頭のいい人が集まっていて、学費が世界で一番高いっていう、すごく特殊な国なので、**アメリカを参考にするというのが、たぶん世界中で間違っているん**ですよね。そもそもア

メリカを真似するのが無理だよねっていう。

フランスの場合は、ほぼだいたいの大学が公立で学費ゼロなんです。ソルボンヌ大学って日本でも有名だと思うんですけど、そういう、留学生にも知られていて、門戸《もんこ》が開かれているような4年制大学って、フランスの中ではけっこうレベルが低いほうなんです。

フランスのエリートがいくのは、高校のときから1年くらい予備校に通わないと合格できないグランゼコールっていう学校[07]で、そこで徹底的にエリート教育を叩き込まれるんですよね。

グランゼコールは、ほぼフランス人しかいきません。アメリカみたいに、「誰でもチャンスがあればいけるよね」っていうような世界じゃなくて、「君らは、国のお金で教育を受けているんだから、いかに国に貢献すべきか」っていう教え方をするんですよ。そういうところが、もう根本的に違う。

で、**日本ってたぶん、エリート教育ができない**と思うんですよ。エリートとかめちゃくちゃ賢いやつがものをつくって、そうじゃない人はそうじゃない人で幸せに暮らすっていうのが無理で、そもそもの価値観が違う。

さっきも「1億円で大学教授を呼べるか」っていう話がありましたけど、

07 グランゼコールっていう学校

フランスにおいて、国立大学よりもはるかに社会的な権威の高い、国立高等教育機関の総称。特定の実務的な職業人を養成することを目的とし、約300校に10万人が在籍する。多くは文部省以外の諸官庁の所管のため、学位授与権は持たないが、官僚をはじめとするフランスのエリートたちはそのほとんどが、この学校群の卒業生である。

例えば「学生が１００人しかいないエリートのための学校をつくって、そこに超優秀な教授を３０００万円で呼びます」とか、たぶん無理ですよね。それだったら「１０００人とか２０００人とかの大きな講義をやるべきだ」みたいな話になっちゃうので。

それに例えば、トヨタをつくった豊田佐吉さんが大学にいっていたかっていうと、いってないじゃないですか。たまたま世界で自動車というものが流行《はや》り始めた頃に、「俺は機織《はたお》り機をつくっているから、自動車もつくれるんじゃない？」ってつくってみましたというのが始まりですよね。[08]本田技研の創立者の本田宗一郎さんも、たしか高卒ですよね。

だから、**何かしらのタイミングでノリでつくってみて、「あ、いけるじゃん」ってなる人がどれだけ増えるかっていうことのほうが大事**なんじゃないかと思うんですよ。

世界でいろいろな産業が新たに生まれているっていう、それ自体をコントロールすることはできないわけだから、問題は、**何か波が起こったときに、それに乗れるかどうか**じゃないんですかね。

なぜマイクロソフトのビル・ゲイツがうまくいったか。ゲイツがめちゃくちゃ優秀だったっていうのは置いておいて、成功した一番の理由って、世界中で売ら

08 本田技研の創立者の本田宗一郎さんも、たしか高卒

本田宗一郎氏は尋常高等小学校（現在の中学程度）を卒業後、丁稚奉公に出て働き始めたが、30代で高等工業高校機械科の聴講生として３年間学んだ。

れているＩＢＭのパソコンに、ＭＳ－ＤＯＳが納品されたからなんですよね。

要は、ただの大学生がつくったＯＳが世界的な企業の製品に採用されたことが、マイクロソフトの成功の始まりだったわけで、**無名の若者でも、いいものをつくればちゃんと評価するよっていう価値観が大事**だと思うんです。

片山　うん、うん、それは分かる。

ひろゆき　でも日本の場合って、たぶん大学生がゲイツと同じようなものをつくって、例えばＮＥＣに持ち込んだとしても、「あなた、どういった会社ですか？」「どういった実績がありますか？」なんて問われて、断られて終わりだったと思うんですよね。

そういう体質が今も続いていて、**日本の若者たちがベンチャーで大成功しない理由になっている**とも僕は思っています。

片山　日本では、この20年ぐらいの話なのか、それとも前からそうなのか分からないですけど、プログラミングとかエンジニアリングの仕事を外注するじゃないですか。大手の有名ＩＴゼネコンが仕事を取ってきて、それを自社ではやらないで下請けに流すんですよ。

すると、例えば富士通が１本２００万円で取った仕事は、１次下請けにいくと85万円になるんですよね。これは代表質問のときに岸田さんにも言ったことなんですけど、要するに**ＩＴは最もピンはね率が高い、一番過酷な下請けの産業の１つである、と。**

例えば、情報工学を学んでいて、データいじりが上手で、ある程度、プログラムも書けて、そういうのがおもしろいなって思っている女の子がいるとしますよね。4年で大学を卒業してどこかに勤めても、年収200万とか300万なんですよ。

逆に、例えば日本では医師が余り始めているんですけど、医療って公定価格で既得権益ですから、どんなに暇な医師でも1000万円くらいは稼げるんですよね。

そうなると、「医学なんて興味なくて、情報工学をやりたい」っていう理系の子がいても、両親とかが「医者になったほうが手堅いよ」なんて説得して、結局、**日本という国は、どの先進国よりも医師以外のリケジョがいない**んですよ。

じゃあ、女の子は理系の頭がないかっていったら、明らかにあるんです。それは私も60年生きてきて思いますよ。

日本には、こういう難点もあるんですけど、ただ富士通の人たちだってNECの人たちだって、当然、生まれたときから富士通やNECのやり方を叩き込まれてきたわけじゃなくて、**この会社の人間として仕事をしているうちに、そうなっちゃった**んですよね。その体質は国が命令してつくっているんじゃないんですよ。

ひろゆき **僕は国に原因があると思っています。**

片山 どうすれば変えられるんですか？

ひろゆき 例えば国とか地方自治体が、あるシステムが欲しいというときに、プログラミングの実力だけ見てくれたら、「余裕でつくれますよ」っていう人、日本中にたくさんいるんですよ。でも法人でもなければ実績もないから、入札しても、ほぼ通らないんですよね。

1つ具体例を挙げると、日本では、新型コロナウイルスのワクチンを配布する仕組みを1100の自治体が独自につくったじゃないですか。あれも、どこかの会社がつくったものを、「あの県でも採用されているから安心だよね」って評価して買うっていう感じだったので、結局、どこかの企業しか競争に勝てないんですよね。

そこで、例えば、その地域に住んでいる若者が「こんなコードだったら、自分、全然書けます」って言ってきても、役所のほうに理解も評価もできる人がいないから通らないわけです。結局、「あの会社のシステムだったら、他の自治体でも業績があるから、それを採用しよう」ってことになっちゃう。

だから、**ブランドとか実績とかを別として、実力をちゃんと評価できる人が国にいないっていうのが、やっぱり、若者が成功しづらい原因**だと思うんです。

日本政府のAmazon・Google優遇とDX

片山 そういう問題があるから、デジタル庁的なものをつくるべきじゃないかっていうので、私は賛成したんですけどね。

ひろゆき デジタル庁、僕も、表向き賛成でしたよ。

片山 ところが、デジタル庁は、今、ひろゆきさんがおっしゃったようなことをやる役所になってないんですよ。そこが問題なんです。

ひろゆき そうですね。

パンダ ひろゆきさんがやろうとしたのに、なんでダメだったんですかね？

ひろゆき いや、だから僕はデジタル庁に落ちたので。

片山　本当に受けたんですか?

ひろゆき　受けましたよ。2回応募して落ちているので、もう無理だと思いますね。

でも結局、なんで僕がデジタル庁に落ちたかっていうことにも、けっこう近いと思うんですけど、日本中の人が使うデジタルなものを、ちゃんとゼロからつくった人って、たぶん日本で20~30人ぐらいしかいないと思うんですよ。

そういう人って、だいたい頭がおかしいから扱いづらいんですよね。企業で一生懸命、上がってきた人や官僚の人とは考え方が違う。

片山　分かりますよ、ええ。

ひろゆき　で、**お役所の世界に扱いづらい人を入れちゃうと、何が起こるか分かんないっていうのがあるから、ベンチャーをやっているような変人は、なかなか採用されづらい**んじゃないですかね。

片山　すごく本質的なところですよね。おっしゃっていることは分かるし、日本人は理系の頭がないわけじゃないんだけど、駐日インド大使が言っていたように、やっぱり日本はカルチャー的にはレイヤー（積み重ね）で、捨て難いものを持っておくところがあるんですよね。

その中で弾けたものをつくる人っていうのは、ある種、従来のものを分断したり破壊し

たりできる人で、そういう日本人もいっぱいいるんだけど、あまり評価されないか、極端に成功した場合はうらやましがられすぎる。要するに速く走っている人をうらやんでも自分が速く走れるわけじゃないのに、うらやんじゃう的なことですよね。

そこが第４次産業革命には向いてない部分で、変えるのはとっても大変なんだけれども、**ボトルネックになっているところは割と洗い出されていますよ。**だから、少しずつは変えていけるんじゃないかと。

ひろゆき　いや、洗い出されてないと思いますよ。デジタルを便利にさせるためには、中央集権を進めたほうがいいんですよね。要は、**1個のシステムをつくって一斉に「はい、みなさん、これを使ってください」って通達するのが一番早いんですけど、今の日本って、地方分権を進めているじゃないですか。**

だから、コロナ禍でも「ワクチンを配る仕組みのほうは国が主導でつくりました。でも、国民が受ける仕組みのほうは、各地方自治体で予算を組んで、おのおので業者に発注してください」っていうことで、１１００もの仕組みができちゃったわけですよね。**国が「これを使ってね」って言っていれば、「国から配る仕組み」と「国民が受ける仕組み」の2個で済んでいたん**ですよ。でも、それを自治体ごとにやらせて１０００倍にするのが、日本の政府としては正しいんだっていうやり方になっているじゃないですか。

片山　うーん、それを後押ししてきちゃったのは、実は総務省にできていた、ある機関なんですけどね。そこが管理していたシステムを止めて、全部の自治体でクラウドを一本化することが決まっています。今後は、そのクラウド（ガバメントクラウド）にしか、データを乗せてはいけないことになります。設計も半ば終わりつつあって、始動が、たしか来年の秋の予定になっていますね。

ひろゆき **そこで使うクラウドはAmazonとGoogleになっていて、日本の企業は入れない**ようにしたんですよね？

片山 そう、入れなくしたの、あの人たちは。[09]

ひろゆき 要は入札の条件をめちゃめちゃ厳しくしたんですけど、世界中で使われているAmazonとGoogleは、その基準を超えられるんですよね。

でも、日本のサーバー事業者のレベルが低いかっていうとそうじゃないです。すでにオンプレミス[10]とかでも地方自治体で使われているし、現状でも十分、セキュリティレベルは担保しているんです。

---

09 そう、入れなくしたの、あの人たちは。

その後、国内企業のものもガバメントクラウドとして認められた。

---

10 オンプレミス

サーバーやソフトウェアなどの情報システムを、使用者が管理している施設の構内に機器を設置して運用すること。

ただ、**Googleとか Amazon のレベルが高すぎるのと便利すぎる**ので、そこに合わせて入札の基準をつくりましょうっていうことになって、それだと、やっぱり日本の企業は通らなかったですね。

それで結果として通ったのがアメリカの2社で、じゃあ、その2社のクラウド上にすべての日本の地方自治体のデータを置きましょうってなったら、日本のサーバー屋さんのレベルが上がる可能性はどんどん下がるじゃないですか。日本の企業だってちゃんと頑張って、もっとレベルアップできるのに。これは間違っていると思うんですけど。

片山　なるほど。

成田　僕は素人なのでよく分からないんですけど、この時代、クラウドインフラを提供するみたいなビジネスで、国内の企業を守るみたいな20世紀っぽい産業政策って可能なんですかね。

ひろゆき　EUは、やっていますね。EU国民のデータを保存する場合、そのサーバーはEU内になければならないっていう法律があります。

片山　EUのサーバーはローカライゼーションですね。

ひろゆき そうです。例えばフランス人向けのサービスをやるんだったら、サーバーはフランスになきゃいけませんっていうことですね。ただ、アメリカとは条約を結んで、「アメリカのサーバーはヨーロッパのサーバーと同様に認めます」っていうことになっています。

でも、その条約を日本の政府が結んだのが、ようやく去年とかだったので、ヨーロッパの会社が日本のサーバーを使うっていうのが不可能になったんです。という感じで、ずっと遅れているんですけど、サーバーを自国に有利にしたほうがいいよねっていうのをヨーロッパはすでにやっていて、うまくいっている。

成田 それは産業を育てるっていう機能を果たしているんですか?

ひろゆき 育てることにつながっていますよ。データセンターとかも、ヨーロッパでクラウドをやろうっていうときに、フランスの上場企業のOVHっていうところを使おうっていうことになったりするんですよね。それでOVHは売り上げが上がっていて、シンガポールセンターをつくったりとか、海外にも手を伸ばしているんです。

片山 我々の同僚だったENA[11]の発想は、まったくそれですね。あらゆるこ

11 我々の同僚だったENA

ENAとはフランス国立行政学院（グランゼコール）のこと。同校の卒業生でもあるエマニュエル・マクロン大統領が2019年4月に廃校を宣言、他のグランゼコールとともに、2022年1月に新設の「国立公務学院」（Institut national du service public、INSP）へと統合された。なお、片山氏は日本人女性として初めてENAに留学した。

とが国力重視です。

ひろゆき で、中国も、アメリカのサービスを使わないようにして自国内で育てて、海外とかに対してゲームとかサービスを普及させるっていうのをやっているじゃないですか。TikTokとか。

それと同じようなことはヨーロッパがやっているので、**20世紀型の囲い込み経済っていうのは、21世紀のIT分野でも成立するんじゃないかなと思います。**

片山 デジタル庁の議論のときに、平井卓也さんも、平井さんの事実上の弟子である牧島かれんさんも、そういう話にあまり興味を持ってくれなかったんですよ、当時は。

私は、民間も含めて企業が立ち上がって、そこがデジタル化しないと、自治体のシステムの中だけやったって国民は何も驚かないし喜ばないし、GDPだって増えないよねって思っているんですけど。

ひろゆき 民間の話ですけど、日本では著作権法のせいで、数年前まで検索エンジンが違法だったんですよね。なので、もともとインフォシークとかNTTがgooっていうサービスで検索エンジンをやっていたんですけど、違法になったからGoogleを使ったり、Yahoo!はアメリカYahoo!が開発したエンジンを使ったりっていう形になったんです。

こういう感じで、**日本は民間で何かをつくろうとしても、**政府が法律をつくったせいでできない**っていうのをやらかしているんですよね。**だから**民間が元気ないっていうのは間違いだと思います。政府の問題**だと思います。

片山 今のお話、もし本当だったら、とんでもないと思います。調べてみます。

停滞感打開のカギは、日本国民の「ひろゆき化」？

パンダ　成田さんがおっしゃっていたところで、率直に、日本っていろいろやりづらいと思うんです。**大学の足の引っ張り合いとか、才能がある人に対する嫌がらせとかも含め、日本って、なんか、いづらい空気がすごいんですよ。これをどうやったら解決できるのか？**お三方にお聞きしたいです。

ひろゆき　まあ、ちょっと特殊な成田さんみたいな人は置いておいて、[12]人は人との接点が多ければ多いほど幸せを感じる社会的動物であるっていうのが、ハーバード大学の論文に出ていたりするんです。仕事でも、人は一緒の価値観を持って何か成し遂げているっていうこと自体に幸せを感じる。会社に居続けようとする高齢者がなぜ多いかっていうのも、働いて給料をもらうためというより、その組織、コミュニティに所属している幸せを享受したいからっていうのが大きかったりするんですよね。

無職の人の自殺率って、やっぱり高いわけじゃないですか。**失業している人たちは、どんどん生きづらくなって、自殺したくなるみたいなこともある**ので、外国人を入れるんじゃなく、**やっぱり、とりあえず日本人が働ける環境を用意したらいいんじゃないですか？**

あとは**優秀じゃない人が働いても給料分を稼げない問題**っていうのがありますよね。優秀な人が時給1000円で働いて売り上げが1時間当たり1200円だったら、会社が200円を取っていいよねっていう話ですけど、無能な人が1時間当たり500円分ぐらいしか売り上げを立てられなかったら、その人は必要ないことになっちゃう。

そういう人でもベーシックインカムみたいな形でとりあえずゼロではなくして、じゃあ500円分でも価値をつくってくれるんだったらうちで働いてねっていう形で働く人を増やして、失業率を下げるほうがマシなんじゃないかなと思っています。それをやることで、生きづらさを感じる人を減らすっていう。

パンダ　**成田さんみたいな天才が日本で働きやすくするためには**っていうのは、どうでしょう?

ひろゆき　あ、**それは無理**ですね。

成田　僕、けっこう日本の社会で楽しく働いているんですけどね。まあ、それはいいとして、まず生きづらさについてなんですけど。

12 人は人との接点が多ければ多いほど幸せを感じる社会的動物である

Robert Waldinger and Marc Schulz, *The Good Life: Lessons from the World's Longest Scientific Study of Happiness* (Simon & Schuster, 2023.1)

日本社会っていうシステムとか、その中にあるいろいろな組織とかに属して、ヒエラルキーみたいなものがある中でゲームをプレイしていっても、どこに辿《たど》り着くのか分かんないんですよね。**日本社会の停滞感みたいなのを感じる人が多いとしたら、それは、何も得られないゲームみたいなのをプレイするために、延々とエネルギーを削られるみたいなことが起きている状況だから**っていうのが、けっこう大きいんじゃないかと思います。

そういう意味でいうと、**ひろゆきさんみたいな人がもっと増えることが重要**だと、僕はけっこう真面目に思っているんですよ。

要は、この限られた社会の中とか、あるいはその中にすでにある組織の中で、既存の慣習とかゲームのルールとか、「とりあえず、こうしたほうがいい」っていうようなものを、サクッと無視しても生きていける、みたいなロールモデルが、いろいろな方面で増えていけばいいんじゃないか。そのための必要悪として、ひろゆきさんみたいな人が重要なのではないかと思うわけです。

ひろゆき　悪として頑張ります（笑）。

政策通で熱心、優秀なほど報われない？政治家という仕事

パンダ　成田さんは、もう日本は無駄なことをせずに放っておいて、緩やかに衰退していけばいいんじゃないかとおっしゃっていました。ひろゆきさんは、フランスはすごいエリート教育でエリートが育っているんだけど、日本人はそういうのに向いてない、できないだろうっておっしゃっていました。

片山さんはやっぱり政治家だから、そこは「でも」っておっしゃるんじゃないかなって思うんですけど、例えば、片山さんだったら、どうやって成田さんみたいな人を、1億円払う以外の方法で日本に呼び寄せますか？

片山　高いお金を払うのは、おっしゃっていたように一番簡単なことだけど、今、大学の殻の中にいる方のタイプを全部変えることはすぐにはできないから、帰ってきて1億円もらっても、いづらさは残るんじゃないですか？

ただ、**誰かがリフォーマーにならないとリフォームはできないので、大学を変えるっていうのは、1つ大きな起爆剤にはなる**と思いますよ。ただ、今までにまだ成功してないん

ですよね。

あと、私は、**今の日本が何もかも諦められるべき国とはあまり思ってない**んですよ。かつてフランスで生活し、その頃のフランス人の知人といろいろ連絡を取りながら、フランスがEUに変わっていくのを見てきましたけど、何を快適と思うかっていうのは違いますよね。もちろん完璧にはほど遠い国が多いんだけども、それはやっぱり最終的には、その国の人が選んでいる結果ですよ。自分たち以上の政治、政治家はできないので。

で、今、**明らかに日本人は、絆とか集団主義とか、たしかにいいものも持っているんだけど、やっぱり「個」が大事だなと思います。**日本人って決して捨てたものじゃないし、そこから何も生まれないとはまったく思わないんですが、**明らかに私たちの世代と違うのは、アグレッシブさがすごく低いんですよね。**

それは、みんながほどほどに豊かになってしまったからなのか、何なのか。ある程度、豊かになった国が、アメリカのようにどんどん人を入れ替えない限りは、必ず行き着くところなのかなとも思いますね。

私は、今、今日お話ししたようなプロジェクトを十数個、一緒に動かしています。でも、そこまでの仕事をしたがる政治家って、ほとんどいないんです。**それだけやっていても票が取れるわけでも何でもなく、普通に国会議員をしていれば、いろいろうまく回って**

いくので、強いて政策で頑張りたいっていう人が、あんまりいない。

ひろゆき　政治家としてうまくいくってことなら、子どもとサッカーとかをやっているほうが、人気は出るじゃないですか。で、すごい頑張っても、政治家として報われることってあんまりないですよね。

そうなると片山さんが政策で頑張るモチベーションって何なんですか?

片山　私は23年間、財務省で政府内の仕組みっていうのを見てきて、だいたい「ここがうまくいってないな」みたいなことが起こっている場所も分かっていて、その場所の中で、ある程度、今の自分が余裕を持って仕事ができて、改善できるなと思うところにだけ手を出しているんですよ。それが十数カ所あるんですけど、自分の経験値でしかできないので、割と職人に近い感覚ですね。

モチベーションが何かっていうのは、理解してもらえるかどうかは分かりませんが、**国家に対するご奉公**っていうか、**恩返し**かな。何の恩だか分からないけど。

ひろゆき　恩返しなんですか。

片山　まあ、日本が好きなんですね。

ひろゆき　片山さんみたいに頑張る人がもっと評価されて、もっと権限を持ったほうが、ずっといい国になる気がするんですけど。そんなに実績がなくて「二世議員です」っていう人たちがバンバンうまくいっちゃっているじゃないですか。

片山　うーん、そういう人をもてはやすってことは、やっぱり、**この国の社会が割と軽い人が好きなんじゃないの？**

成田　最後に本音が出ました（笑）。

泉健太 × 「YES、NOで言えない、答えはない」は政治家の発言としてアリか？

Kenta Izumi

第5章

公開日
2022.04.03
2022.04.10
本章は上記の期日に公開されたYouTubeからの抜粋・再編集です。

泉健太氏（以下、敬称略）
衆議院議員（京都3区・8期）。立憲民主党代表。
1974年北海道生まれ。1998年立命館大学法学部卒。参議院議員秘書を経て、2003年民主党公認候補として京都3区で衆議院初当選。以降8回連続当選。2009年内閣府大臣政務官（少子化対策、男女共同参画、防災などを担当）。党政務調査会長を経て、2021年11月より立憲民主党代表に就任。家族5人とうさぎ。趣味は料理、DIY、自転車、アウトドアなど。

「核兵器の抑止力」とロシアのウクライナ侵攻

成田 泉さんは憲法9条の（自衛隊の）明記については「反対」、安全保障関連法[01]の成立については「どちらかといえば評価しない」、核武装については「将来にわたって検討すべき」というお考えのようなのですが、ウクライナ侵攻が始まった今でも同じような意見を持っていらっしゃいますか？

泉 基本的にそうですね。核武装については、今、「核共有」という言葉も出ていますけど、**事実上、核兵器って「使えない兵器」になっています**ね。

ロシアも威嚇《いかく》はしますが、じゃあ威嚇されたことによってウクライナの態度に何か変化があるか。特段、何も変化はないと思います。威嚇されて何かを引っ込めるっていうこともなければ、抵抗を止めるわけでもないですよね。

要は、もし本当にロシアがウクライナに核を発射したとすれば、断罪されるのは間違いなくロシアであって、場合によっては他国からの報復もあるかもしれません。

そう考えると、ロシアも事実上は核兵器を使えないと思いますね。**実はウクライナ問題**

が始まる前から、**核というのは究極的には、もはや使えない兵器である、ということは抑止にならないんじゃないか**っていう考え方もあるんじゃないかと思いますね。

ひろゆき 使えないから抑止にならない、ということは、もっとすごくて、もっと使いやすい兵器を持つべきだと思うんですか？ 「核なんか、もう時代遅れだよね」みたいな？

泉 ある意味、時代遅れというか、もう役割は終えてしまっているような気がしますよね。ただ、核よりも強い兵器を私が欲しているわけじゃなくて、**兵器で最先端のものを開発していっても、あまりメリットはないんじゃないか**と思いますよね。

ひろゆき ちょっと話がごっちゃになっていませんか？ **核を持つ意味合いは「核を持っている国のことは攻めづらい」というだけで十分で、核を実際に打てるかどうかはまた別の話**だと思うんですよね。

01 安全保障関連法

成立は2015年9月。政府は「平和安全法制」と呼称する。集団的自衛権の行使を可能にすることなどが盛り込まれたほか、自衛隊の活動範囲も拡大され、戦後日本の安全保障政策が大きく転換した。

現状、日本は核を打てないじゃないですか。アメリカが打つかどうかを決めるだけで、日本に打つ権限はありません、と。ただ、日本に攻めてきたらアメリカが核を打つかもしれないというふうに、「相手が攻めづらくなること」が核兵器の威力なので、そこで**日本人が押せるかどうか、押せないからいらないよねっていうのは、ちょっと議論が違う気がする**んですけど。

泉 ひろゆきさんの話に合わせると、結局のところ、先制的に核を使うという選択肢はアメリカは捨ててはいないけれど、他国では核保有国であっても「先制不使用」としている国はあるわけですよね。

で、今回のウクライナの場合に照らしても、ロシアは最初から核を打ってはいないけど、侵攻はしているわけですよね。通常兵器[02]同士で、ロシアとウクライナは戦っている。ロシアは核で脅しているだけだけど、実際の紛争は起こっているわけですね。

だから、他国がいきなり日本に核を打ってきたら、我々はものすごい大ダメージを受けてしまうけれども、それはやはり今の国際社会ではあり得ない話。

じゃあ、先制的に核を使われない中で、日本は何のために核を持つのか。もし他国が核じゃなくて通常戦力で日本に攻めてきた場合に、日本は、その国に対して核を使うのか。

ひろゆき 話がまたずれていると思うんですけど。**ウクライナに核があったら、**

---

02 通常兵器

核兵器の出現によって対比的に生まれた軍事用語。一般に大量破壊兵器（核兵器・放射能兵器・化学兵器・生物兵器および同様な破壊効果をもつ兵器）以外の武器を意味し、地雷・ミサイル・大砲・戦車・戦闘機・軍艦から、けん銃などの小型武器まで多岐にわたる。

ロシアも通常兵器ですら攻めなかったんじゃないの？っていう話だと思うんですよ。核の効果は抑止力なので。

泉　そうは思わないなあ。それは推測が入っている。ウクライナに核があるからロシアが攻め込まないとは限らない。

ひろゆき　もちろん「核があったら、なかったら」っていうのが推測でしかないのは、確かなんですけど、核がある国を攻めづらいのは事実じゃないですか。だから日本にだってアメリカの核の傘[03]があるわけで。

じゃあ泉さんとしては、核があっても攻めづらくないんだったら、アメリカの核の傘もいらないっていうことですか？

泉　**程度の問題**ですよね。攻めづらいのは確かかというと、それは程度の問題ですよね。

ひろゆき　だから、核があろうとまったく攻めづらくないんだったら、別にアメリカの核の傘もまったくいらないじゃないですか。でも、それは必要だと思っていらっしゃるんですよね？　どっちなんですか。

03 核の傘

核兵器保有国が、その核戦力を背景にして、自国および友好国の安全維持をはかる態勢。

泉　うーん。もう核は、今、役割を終えつつあると僕は思っていますね。

ひろゆき　アメリカの核の傘もいらない、と？

泉　うん。**もはや、ほとんど役割を果たしてない**と思います。

ひろゆき　だったら、立憲民主党が政権を取った場合は「アメリカの核はいりません。非核三原則[04]で持ち込む必要もない」っていうのを宣言するってことですね？

泉　うーん。それは将来の理想的な社会としてはそうだけど、政権を取って、それをすぐやるかっていうのは……。

ひろゆき　**いや、理想の話ではないです。**

泉　**理想の話です。**

04 非核三原則

核兵器を「持たず、つくらず、持ち込ませず」を内容とする、核兵器に対する日本の基本政策のこと。

ひろゆき　**仮に与党として、どう判断するのかっていうことです。**政権を取った場合に、その判断をするのは総理大臣じゃないですか。

泉　もちろん、もちろん。だから、それは現実的に判断しなきゃいけないので、そんな、**何でもかんでも政権を取ったとたんに「はい、これやります、これやります、全部方針転換です」とはならない。**それは政治だから。

ひろゆき　じゃあ、方針としては、アメリカの核は日本から排除する方向で立憲民主党は考えていらっしゃるっていうことでいいですね？　理想として。

泉　うん、将来的にやっぱりそうなりたいですね。はい。

政治とジェンダー 政治家の女性比率はなぜ低い？

泉　ひろゆきさんの質問はすごく分かりやすいんだけど、端的にいえば、**政治ってそんな簡単に答えを出せないよっていう話**だと思うんですよ。

政治って、いろいろなものを含めて慎重に答えを出さなきゃいけないので、**白か黒かって聞かれても、それは答えられないことがすごく多い。**そういう世界だっていうのは、知ってもらいたいなと思いますね。

成田　ずっと「与党になったらどうするんだ」とか「自民党とどう違うんだ」みたいなツッコミばっかり受けてらっしゃると思うんですけど、明確に違う点があると思います。泉さんは、**代表選に出られたときに、ジェンダーの男女比の問題について大きなことをやられたわけですよね。**党の執行役員の半数を女性にするっていう公約を掲げて、実際に実現された。

それにいろいろと文句をつけることもできると思うんですけど、でも、少なくとも自民党で、それに相当することが起きるっていうのは、ちょっと想像がつかないんですよね。

そこでお聞きしたいのが、あれは何で可能だったのか。どういうインパクトを持ったか、あるいは持たなかったのか、性別とか年齢をまともにバランスさせると何が起きるのかっていう点なんです。

泉 今までは、どうしても当選回数が多い男性ばかりが役員になりがちだったから、僕が代表になったときに「役員の半分は女性にします」って言ったら、すごい驚かれたんです。でも実現して、役員12人のうち6人が女性になったんですけど、基本的には代表と幹事長が役職を決められるので、そんなに難しいことでもなかった。**やればできるんですよ。**

成田 それによって就けたかもしれない役職を失った中高年男性議員もいたわけですよね。

泉 それは何にしたって起こることです。何かの役職を誰かに与えれば、そこから外れる人は当然いる。**そもそも政治の世界の役職は年功序列ではないから、あまり「次は俺がこのポジションに就く予定だったのに」みたいなものはないんです。**

全員が国会議員ですから、みな、それなりの力や能力を持った人という前提に立っていけば、**当選回数を基準にして見る必要も実はない。**1回当選でも、この人はおもしろいなって思ったら役員にすることができる世界なので、その意味では、党内の数十人の女性議員から6人を役員に選ぶっていうのは全然難しくありませんでした。

で、実際にやってみたら、**今までよりもはるかに議論に活気が出てきた**んですよね。男女が交ざったからだけではなく、当選回数の少ない人も多い人もいるから、より自由な雰囲気になったっていうことかもしれません。

性別はもちろん、子育て真っ最中の人とか、女性特有の問題を国会で扱っている人とか、いろいろな背景の人たちが1つの会議に入ることで、多角的な視野から意見が出るようになったっていうのは、今、代表として実感していることです。

成田　立憲民主党にはできて、例えば自民党にはできない理由は、何だと思われますか？

泉　やればできるんでしょうけど、**自民党は政治力とか資金力とか、いろいろな力で押さえつけて、序列をつくりたい人が多い**からっていうのはあるんでしょうね。

成田　以前、野田聖子さんだったかな、女性議員の方が、インタビューで国会議員の男女比の問題について聞かれたときに、「[05]自民党内でそれを解決するのは絶対に無理だから、もう野党に期待するしかありません」って言っていたんです。

それは、ぶっちゃけていうと、例えば**立憲民主党のポジションとか役割っていうのは、自民党のそれと比べて実質的に軽い**っていうことなのか、それとも**党の歴史が違う**ということなのか、何なんだろう？　っていうのが具体的に気になっています。

泉　歴史が違うとかも事実としてあるけれど、でも、やればできないことはない。これは乗り越えられるかどうかの問題で、自民党は乗り越えられないという話かもしれないんだけど、例えば4回当選したら副大臣とか、5回以上だったら大臣とか、党内で偉くなるための暗黙の要件みたいなものが、長い歴史の中でつくられてきた感じは強いですよね。

あとは派閥のトップはもちろん偉いけれど、その中でまた小さなグループを持っている議員がいて、そういう人は小隊長のようになっているとか、そういった目に見えない序列がいっぱいあって、なかなか女性の政治家が政治力や資金力を持つことができないんでしょうね。

でも**立憲民主党はもともとそこまでお金を持っている政治家が少ないので、そういう意味でフラットな組織になっているんじゃないかな**と思いますね。

05「自民党内でそれを解決するのは絶対に無理だから、もう野党に期待するしかありません」

「「女性は野党に出して頂いて」男女平等、遅れる政界」（朝日新聞、2020年11月12日）

成田　そうすると男女比のクオータ制[06]みたいなものって、もっと党内で広げていこうとお考えなんですか？

泉　そう、これで終わらせずに広げていこうと思っています。例えば各都道府県の役員もなるべく女性を増やそうとか、そういうのは、今どんどん進めていますね。

成田　他の属性に関するクオータ制については、どう思われますか？　例えば世代別に定員を決めるみたいなアイデアは、昔からあるわけですよね。

泉　そこまでいけたら、それはそれでおもしろいかもしれないなと思いますけど、今はまだないですね。

成田　じゃあ、とりあえず男女の問題から解消していくっていう感じ？

泉　そうですね。例えばメキシコは、女性国会議員の比率において世界４位で、下院５００人のうち２５０人が女性なんですよね。上院のほうも49・２％が女性なので、ほぼほぼ同数になっています。

僕らは**政党として時代を１つ前に進める意味でも、当たり前のように男女同数みたいなものが進んでいくっていうのは示していきたいな**と思いますね。

06 クオータ制

人種や性別、宗教などを基準に、一定の比率で人数を割り当てる制度。

理想の社会は「男性中心」？ コマ化する女性と日本社会

成田　ひろゆきさんは、世代交代の話にはよく言及されると思うんですけど、男女のクオータ制はどう思われているんですか？

ひろゆき　男女のクオータ制がうまくいく国とうまくいかない国があって、**日本は、うまくいかない国のほうだ**と僕は思っているんですよね。

例えばアメリカの場合、男女平等にすると女性が女性のために発言してうまくいく。要は、そもそも女性の起業率が高かったりとか、女性が自発的に動くっていうのがあるよねっていう国なら、「女性を増やしました」でうまくいくと思うんですけど、**今の日本の女性議員って、どちらかというと、男性とかおじいちゃんに好かれそうなことを言って喜んでもらうっていうのを、**

うまくやっているだけに見えるんですよね。現に、女性議員が女性に対してひどいことを言うようなことはよくあるので。

だから一概に女性議員を増やしても、**単に男性のためのコマとして動く女性が増えるだけ**なんじゃないかなと思っているので、あんまり僕は、日本にクオータ制みたいなものを取り入れることには賛成してないです。

成田　でも、そういう男性のコマとしての女性が多いっていうのは、これほど男女格差が激しくて、女性がまともに仕事をしたり活躍したりすることができないような環境だから、そういう人しか入ってこないってことじゃないですか？[07]

日本の社会とか世論の側に、男性社会をつくり出すような構造が存在しているんじゃないかと。

ひろゆき　いや、女性のほうが人口は多いんだから、**女性が女性に投票すれば、日本の国会議員は女性のほうが多くなりますよ。だけど男性議員のほうが圧倒的に多いのは、女性自身が女性を選んでないってことですよね。**で、自民党の女性議員になっている人は、比例

07 男女格差が激しくて、女性がまともに仕事をしたり活躍したりすることができないような環境

Mastercard 社が「女性の地位向上に関する成果」「知識資産と金融アクセス」「起業家を支える条件」という3つの要件から、65カ国についてランク付けした「女性起業家グローバルランキング 2021年版（第5版）／Mastercard Index of Women Entrepreneurs 2021 global ranking」によると、1位 アメリカ、2位 ニュージーランド、3位 カナダと続く中で、日本は47位。カタールやアラブ首長国連邦などのイスラム圏よりも下位に位置づけられている。（"The Mastercard Index of Women Entrepreneurs - How targeted support for women-led business can unlock sustainable economic growth." 2022/3）

で、それなりのリストの順位に入れてもらっている人なんですよね。「この人を議員にしたい」と思って投票している国民はいないけど、自民党の偉い人が比例のリストの上のほうに入れてくれているから、国会議員になれている。そういう女性議員の人って、やっぱり自民党の偉いおじいちゃんには絶対逆らえないと思うんですよね。だって国民の支持を得てないわけだから。

それで結局、男性社会を助けるためのコマとして使われている女性がちょっとずつ増えて、数的には女性が増えても、女性のためのことはやらないよねっていうのが日本の現状だと思います。

例えば、アメリカでは「白人が大統領になるべきだ」ってことでトランプさんに投票した人がいっぱいいたじゃないですか。で、女じゃなくて男が大統領になるべきだっていうことで男が男に投票する。

なので、女性議員を増やしたいのであれば、女性は女性に投票するべきだと思うんです。でも女性が女性に投票しない。女性が「女性ではなく男性のほうが自分にとっていい」

と思って投票している以上、僕は、その**女性の有権者の意思を尊重するべき**だと思うんですよね。

成田　泉さんは、どう思われますか？

泉　誰に投票するかを決めるっていうのは複雑な話で、この基準ですべての人が投票するっていうのはないんだけども、今の日本の一般に行われている選挙で考えると、**体育会系的なノリが強い**というか。朝、どれだけ街頭に立っているか、何軒の家を回るかとかで勝負が分かれたりする。

そういう意味で、頼もしい人というか元気な人というか、体力があってどんなことにもへこたれない人っていうのが、1つの政治家の理想像になっているので、そうすると、**体力差っていう意味でもたぶん女性は不利**じゃないかなと思いますね。だから、そういうところを変えなきゃいけないんじゃないかなと思います。

ひろゆき　女性を選ぶのであれば、それはその有権者の自由意思じゃないんですか。有権者が「この人、いいよね」って思って投票するんだったら、そこは変えるべきではなく、その人たちの意思が通っているということで、終わりでいいと思うんですけど。

泉　終わりじゃないですね。やっぱり、そこは変えていきたい人と、もちろんそうじゃない人がいるので、変えていきたいと思う人は「変えていきたい」ということを訴えるし、変わらなくていいんじゃないと思う人はそういう態度を表明していくんじゃないですかね。

ひろゆき　だから、「変わらなくていい」と思う多数が投票した結果が今じゃないですか。**少数の人が変えたいと思っていて、少数の通りにならないのって、多数決の原理として正しいと思うんですよ。**

泉　なら、それでいいんじゃないですか。

ひろゆき　はい。それでいいわけじゃないですか。だから、無理してクオータ制とかをやらなくていいじゃんって話になりません？

泉　**なんかまた話がずれていますね。**僕らは女性議員を増やすとか、うちは役員の半分を女性にしましたよっていう話をしているんであって、クオータ制をやりなさいっていう議論ではなかったんですよ。

ひろゆき　国会の男女格差をどうやって変えるのっていう話に対して、立憲民主党ではクオータ制を取り入れましたよっていう話が出たわけじゃないですか。だけど、国会議員ではクオータ制はいらないということは、これは立憲民主党の中だけの話ということ？

泉　立憲民主党の男女同数は、クオータ制でやったんじゃありませんよ。**僕が代表として役員を選ぶときの選び方として同数にした、というだけであって、党としてルール化されたわけじゃない**んですよ。だからクオータ制ではないです。

成田　さっき、ひろゆきさんがおっしゃっていた話って、仮に今の国会に男女のクオータ制的なものを導入したとして、結果として起きるのは、男性の権力者たちが握っている今の政治の仕組みを支えるような、コマとしての女性が増えるだけってことですよね。
表面上、女性の数が増えても、今の権力構造自体は変わらない、むしろ強化されるんじゃないかっていう予想だったんじゃないかと思うんですけど、クオータ制の是非とは別に、その予想についてどう思われますか。

泉　叩き上げの人のほうが、そうなっちゃうかもしれないですね。要は、上に上がっていこうと思うと、そういう偉い人たちに気を遣わなきゃいけなくなるので、そういう政治家しか残らないってなる。
だけどクオータ制で女性議員が増えてくると、その枠の中で当選するので、そういう意味で、男性の偉い人たちに気を遣う必要はなくなりますよね。つまりクオータ制だと選ばれ方が変わっちゃうので、上に忖度《そんたく》して上がってくる必要がなくなる。
するとけっこう、言いたいことが言える女性議員が増えるんじゃないですかね。**選挙にしても、比例のリストに入れてもらうために、権力者に取り入る必要がなくなる**わけだから。

ひろゆき　いや、例えば自民党の女性議員を30人にしなくちゃいけないって決めたとしても、**権力者のおじいさんたちが「この子たちは俺たちに逆らわない」って思う30人を選んで、「はい、クオータ制で女性議員が増えました」ってなるだけじゃないですか？**

泉　それは自民党の中の話なので僕はよく分からないけど、もし自民党がそういう政党なのであれば、僕らは戦うっていう話でしかないです。

ひろゆきvs.パンダ 特別語り下ろし 1

YouTube時代のメディアリテラシー ～分水嶺としての「ひろゆき」なる存在～

「当選してから勉強します」という人は、選挙に出ないでほしい

パンダ　本書に収録されている人・されていない人には関係なく、政治家さんでも、歯に衣着せないでちゃんと政策を議論できた方と、逆に歯に衣着せまくっちゃった方に分かれてしまいましたよね。そういう差異が生まれるのは何なんでしょうか？

ひろゆき　泉さんも猪口さんもそうですが、**「こういうことをやりたい」っていうことを細かく突っ込んでいくと、実は、それほど考えてないのが見えてしまう。** **それでいいのか**っていうのが僕の疑問ですね。

例えばコメンテーターとかであれば、言いたい放題に言って金もらうだけなんで、そこまで考えてなくてもいいと思うんですよ。でも政治家って、素人よりも考え抜いて、それを実現するというのが業務だと僕は思っているので、なんか素人に突っ込まれて

「その先は考えていません」みたいになるのは、「え、どうなの？」っていう気がしちゃうんですよね。

パンダ なるほど。玉木さんは？

ひろゆき 玉木さんは、そういう意味で、割と細かく自分で考え抜くタイプの人で、いろいろ聞くと、「こういうふうに考えていて、こうしたいと思うんだよね」みたいなことをきちんと言ってくれるので、話し相手としてキャッチボールができている感じで楽しかった気がします。

パンダ ほう。ひろゆきさんは、**政治家の資質**って何だと思います？ 政策論もたしかにありますけれども、「Re:Hack」では**「人間としての政治家」をいっぱい掘ってきた**つもりなんですよね。こういうとちょっとおこがましいかもしれませんが。ただ、みな有権者の信託を受けて代議士になったわけですからね。

ひろゆき はい。

パンダ ここで飲み屋の雑談レベルでいうと、じゃあ、政治家に向いている人と向いてない人って何なんだろうなっていう。

ひろゆき　まあ、「受かること」じゃないですか。結局、**どんな理想があっても受からなければ、ただの「意識高い無職」**ですよね。

パンダ　ああ、金澤ゆいさんの言葉ですね。

※金澤ゆいさんの言葉……金澤氏は日本維新の会所属。2022年9月にブログで、自身の政治活動を「意識高い無職」と表現した。

ひろゆき　はい。あれは本当にそうだな、いい言葉だなと思って。

パンダ　たしかに政治家って受からないと収入もないし、発言力もすごく衰えちゃいますし、まさしく「意識高い無職」になっちゃいますから、まず「受かること」が第一の資質である、と。じゃあ、受かった先での資質はどうでしょう?

ひろゆき　ちゃんとやりたい政策について調べて、実現するためにどうしたらいいかっていう道筋を立てて、法案をつくるなり何なりっていうのをやるべきじゃないかなと思っているんですよね。「受かってから勉強します」っていう人もいますけど。

パンダ　(笑)。そういう人もいましたね。そこまで開き直れちゃうのも才能ですね。

政治家の1つのスタンスとして、**「究極の素人論」**みたいのもあるじゃないですか。そういうスタンス自体、ひろゆきさんはどう思います?

ひろゆき　国民はいちいち是々非々で考えることができないから、そこをある程度、託されているっていうのが代議士なので、**「何も考えてないです、素人です」っていうのであれば、他の人に席を譲っていただいたほうが、日本のためになるんじゃないかな**と僕は思いますけど。

パンダ　なるほど。となると第二の資質としては、やりたいことを、素人よりはきちんと道筋立てて、論理的に考えていること。レベルとしては、官僚とか研究者ほどとはいかなくても、あくまで政治家として、ある程度はっていうことですよね。

ひろゆき　専門家として研究していて、「ここは官僚より詳しいです」っていう分野があってもいいかもしれないですけど。ただ国会議員って、全部の法案に投票する権利があるので、専門分野だけに異常に詳しいよりは、ある程度いろんなことを知っていたほうがいいんじゃないかなと思います。

「政策通は票にならない」のではない、ただ「説明が下手」なだけ

パンダ　この「Re:Hack」という番組でも1つ、傾向としてあったのは、**「政策通はあまり票にならない」**っていうことだったかなと思います。玉木さんとか片山さんとか、かなり政策通ですけど、片山さんもその点を言っていましたし、玉木さんだって代表を務める国民民主党は野党第3党ですよね。

政策が票に結び付かないんだったら、さっきの①受かること、②ある程度は政策について詳しくあってほしいっていう、政治家の資質と矛盾しちゃうんじゃないかっていうのは、どう思いますか？

ひろゆき　政策に詳しいことと、それをきちんと説明できることっていうのが、たぶん絡んでいるんじゃないですかね。

例えば、政策に詳しいけど説明がめちゃめちゃ下手な人って、一般大衆からすると「何を言っているか分かんない人」なんですよ。要は「政策に詳しい」ということが伝わらないんですよね。で、逆に、生半可な知識で口がうまいやつって、ある程度は素人に伝わるので「政策に詳しい人」っていう評価になるんですよ。

なので、玉木さんとか片山さんが政策通であるということ自体が問題なんじゃなく

て、たぶん2人とも、一般の人が分かる言葉で説明していないっていう欠落があるんですよね。政策通で詳しいし、頭のいい人には分かる言葉で言っているので、自分の言葉が伝わるだろうと思い込んでいるんですけど、実は一般の人には伝わらないというのが分かってないっていう。

なので、**政策通が問題なんじゃなくて、一般の人に分かる言葉がしゃべれないっていうところが、問題なんじゃないかなー**と思うんですけど。

パンダ 片山さん、すごいですけど、たしかに言葉がめちゃくちゃ難しかったですね。

ひろゆき 普通であれば相手の理解度に合わせて言葉を選んだりするんですけど、片山さんって、しゃべりたいことをずっとしゃべり続けるだけなんで、相手のことを見てない。それでは伝わらないだろうなと思うんですよね。

パンダ なるほどな。片山さんは、ずっとしゃべりたいことをしゃべる。しかも東大から大蔵省に入って、そのままずっと政治家という方だから……。

ひろゆき (笑)。**会話ってキャッチボールじゃないですか。**

演説ではないので。

だから相手の理解度に合わせて話して、お互いの理解度をちょっとずつ上げていこうっていうキャッチボールができる人のほうが、たぶん相手に理解してもらえると思うんですよね。

パンダ　まさに。だからメディアに出る方っていうのがいると思うんですよね。

政治家がそのまま出るのが、本当は一番いいですよ。だけど表現の仕方から、政策に対する知識から、さらにはドサ回りする体力まで全部持っている、そんな超人的な政治家って、なかなかいない気がします。

だから、こういう「Re:Hack」みたいな番組とか、あるいはひろゆきさんみたいな人がいればいいと思うんです。

なぜひろゆきは、わざわざ「性格悪い方法」をとるのか？

パンダ　ひろゆきさんの「分かりやすくする」っていうのは、とても賛成なんです。そうなると、じゃあ、ひろゆきさんの表現の仕方って、どういうスタンスでやっているのかっていうのが、すごい気になって。

例えば泉さんに突っ込んでいくときも、けっこう議論を仕掛けていっていましたが、政治とか社会問題に関して、ひろゆきさんには、表現のスタンスって何かあるんですか？

ひろゆき　スタンス？　いや、別におもしろいものを取り上げて、ちょっとした笑いになるといいなと思っているだけなんですけど。

パンダ　おもしろくしようと思ってやっているわけですね。

ひろゆき　うん、多少はおもしろいほうがいいかなと思って。

パンダ　今の発言は興味深いですね。「多少はおもしろいほうがいいかなと思って」っていう、その前に、たぶん1つ文章が抜けている気がしていまして。

ひろゆき　ほお。

パンダ　**「○○するには、多少はおもしろいほうがいいかなと思う」**ってことだと思うんですね。

ひろゆき　それを言うなら、「他人が見る価値があると思えるものにするには」ですかね。

パンダ　泉さんとか、あの収録の後に会ったとき、僕はちょっと気まずかったんですけど

（笑）。ああいうの、どうですか？

ひろゆき　「こういう質問をしたら何が返ってくるだろうな。野党第1党の人である以上は、何かきちんとしたバックグラウンドがあるだろうな」と思ってボールを投げたらそうじゃないのが返ってきたんで、**驚きと失望と好奇心**みたいなものが混ざっている感じですね。

ごまかそうとしている、うそをついている人っていうのは、それは悪意だって僕は思うタイプなんですよね。目の前でごまかすとか、うそをつくっていうのは、要は、だまそうとしているわけじゃないですか。

そして、だますというのは悪意であり、悪意をぶつけてきているのであれば、僕は悪意を返してもいいと思っているので、相手の嫌がるセリフとか、人格を否定するようなことをやったりするんですよ。

パンダ　そうか、相手が悪意を持ってやってきたことに対しては、自分も悪意で返すよっていう、「目には目を」みたいなことか。

ひろゆき　悪口を言われたら、悪口を返していいと思っているんですよ。ただ、最初から悪口を言うのは失礼だなとは思っています。なので、一応、僕としては「返している」

っていう形なんですけど、どうやら**毎回、僕が悪口を言っているようにしか見えない**っていう。

パンダ　（笑）。前から興味はありましたけど、最近またいっそう、ひろゆきさんに対する興味が湧いてきていまして。本当に楽しくやっているのか、その先に何か考えていることがあるのかが僕はイマイチつかめなくて。

太宰治《だざいおさむ》とかの独特な言い回しが分かんないっていうのと同じように、ひろゆきさん独自の文法っていうのがあるじゃないですか。そこが分かってないと意味が真逆になっちゃうよっていうような。「成田文学」もけっこうそうなんですけど。

ひろゆきさんってそもそも、何を思ってやっているんですか？

ひろゆき　（笑）。基本、「楽しいかどうか」っていうのは間違ってはいないんですけど、布石を置いておくと、それが後からつながることがたまにあるんですよ。自分でも、なぜそこに布石を置いたのかは分からないんだけど、結果として、それがつながることがあって、「ああ、おもしれえな」って。

例えば高齢者の胃ろうの話で、「北欧では高齢者に胃ろうをしません」っていうことを情報としてちゃんと知った上で、小川淳也さんの話も踏まえてTwitterに書いたんです。なんでやったかっていうと、布石の1個というのもあるし、小川さんの露払いをしてみようかなと思ったのもあるんです。

※小川淳也さんの話……2022年9月「日経テレ東大学　みんなのお仕事文化祭」で、ゲストの立憲民主党・小川淳也氏が「日本は北欧型の社会に近づかなくちゃいけない」と発言。

パンダ おもしろい。

ひろゆき 小川さんが、「そういう議論もしなきゃいけないよね」と。「でも、それはすごく難しいし、政治家がギリギリのところでせめぎ合いをする」みたいな話をしていらっしゃったと思うんですよね。「政治家っていうのは、やっぱり多くの国民に好かれなきゃいけないから、なかなか難しい」と。

実際、僕が言い始めたときに、以前、長谷川豊さんが、「人工透析《とうせき》は大半が、自分で肥満対策とかをできなかった人が必要になるもので、要は自己責任なのに保険が下りるのはおかしい」みたいなことを書いて大炎上した話とかも引き合いに出されて、「ああいう議論をすること自体が、人としてどうなの？」みたいな話が出てきちゃう。

ただ、「高齢者に対する胃ろうや透析はやっていません」っていうスウェーデンみたいな国もあるわけです。だから政府としては議論をしなければいけないテーマではあるんだけど、それを**政治家でも何でもない僕が言い出すだけで炎上する**んだったら、政治家も官僚も「とても言えないよね」と思っているっていうのが、たぶん現状なんじゃないですか。

じゃあ、それが本当なのかどうかの確認も含めて、「まず僕が言ってみて、大丈夫だったら、他の人も議論できますよね」っていう、そういう意味での露払いをやってみようかなと思ったんですよね。

あえて「スウェーデン」とかも書かずに、誰が言ったかも分からないようにツイートしているんです。「お仕事文化祭」の動画を見れば、もちろん、小川さんが言っているっていうのは分かるんですけど、ただ**頭の悪い人たちが感情的に反応してくる**っていうので、ものすごい炎上になりました。

僕としては、「こういう話題を出すのはよくないよ」っていうことになるのか、「社会的にはありだよ」っていうことになるのかを知りたいっていうのと、露払いっていうのと、あと頭の悪い人が釣れるとおもしろいよっていう、いろんな要素が入って、ああなった。

パンダ　最後のあたりがちょっと、炎上するポイントなんだろうな(笑)。

ひろゆき　何を書いたところで、誰も反応がなかったらそれで終わりなんですよ。**反応してもらうためには、ある程度、釣られる人たちが必要で、だから釣れた人に対しては「ワナに引っかかっていただいてありがとうございます」っていう、お返しもちゃんとしなきゃいけない**と思って、その準備もして待っていたんです。

パンダ　（笑）。**性格、悪いですね。**

ひろゆき　でも結果として、そうやって釣れた人たちのおかげで、この議論をせざるを得なくなる。「議論をすること自体が悪い」とも言えない状況になっちゃうわけじゃないですか。

政治家の人だって、自分の発言に何か返されたときに「これで黙ります」っていうのも難しいと思うので、「私はこう思います」と言わざるを得ないじゃないですか。

パンダ　ひろゆきさんの胃ろうのツイートを非難した吉田はるみさんのことですね。

※ひろゆきさんの胃ろうのツイートを非難した吉田はるみさん……2022年9月「日経テレ東大学みんなのお仕事文化祭」での小川淳也氏との議論を受けて、ひろゆき氏が「『寝たきり老人の胃ろうに保険適用しません。飯が食えない老人は自費で生き残るか諦めてください』と言える政治家が必要になる（一部略）」とツイートしたものを、立憲民主党の衆議院議員、吉田はるみ氏が「政治は一部の人ではなく、すべてのためにある」とのコメント付きでリツイートした。

ひろゆき　はい。そうすると、結果として、「政治家の人がそういう議論をしちゃったよね」っていう場所をつくれるわけじゃないですか、実績として。

パンダ　なるほど。そこまでは、もう事前に思っていたわけですね。

ひろゆき　ただ、それが**おもしろくないと誰も見ないから、エンターテインメント性も必**

要で。

パンダ　そこの意図を聞きたかったんですよ。「性格悪いよなー」って、僕も釣られてみたかいがありました。ひろゆきさんって、釣れないと、そういう真面目な言葉が出てこないから。

今、なるほどと思いました。他の問題でも、おそらく、基本的にはそういう構造でやっているわけですよね。まず入り口は「おもしろくないと」っていう。

ひろゆき　もう単純に性格悪いっていうだけの場合も、けっこうありますよ（笑）。

パンダ　そうだろうな（笑）。だけどまあ、だいたいは今みたいな構造があると思うんですね。**忘れられている問題や言いにくい問題って、「言いたくなる」とか「思い出したくなる」という土壌がないといけなくて。**それが、**ひろゆきさんの手法だと、ちょっと炎上っぽくなる**というか。

ただ、成田さんのTwitterにも「言っちゃいけないことはだいたい正しい」って書いてありますけど、別にひろゆきさんが炎上を仕掛けているというよりも、普通に「言っちゃいけない正しいこと」を言ったら、火がついちゃったってこともありますよね。そういうふうにして火をつけなきゃいけないときもありますし。

ひろゆきには突っかかっても、成田悠輔にはおもねる人たち

（パンダ）この番組をやってきて、ずっとおもしろいなと思っていたのは、**「反権力の人でも権威には弱い」**っていうところですね。「反権威の人」ってあまりいない。

で、僕は視聴率大好き人間なので、視聴回数を稼ぐために権威をすごい利用するんです。それこそ「イェール大学」とか、出すだけで1秒で情報が伝わるので、効果があって当然なんですよ。そこは下世話で申し訳ないし、ダサいんですけど。

ただ、発言の内容に関しては個々別々に理解していいはずなんですけど、**反権力的な空気を出している人でも、成田さんに対しては、おもねる感じの人が多い**んですよね。

権威ってすげえなと思いました。

（ひろゆき）反権力の人でも、何らかの組織のリーダーだったりするので、権力構造の上のほうにいるっていうのは、あんまり変わらないと思うんですよね。

まあ、僕ぐらいには勝てるだろうとか、僕に何か言い負かされたとしても別に社会的には問題ないだろうとかは思うけど、大学の先生に挑んで負けましたとなると、それはバカでしょう。「なんでそんなことしたの」ってなっちゃうじゃないですか。

パンダ （笑）。成田さんに正面から反論した人って誰だったかな。猪口さんは、比較的そうだったかな。でも、これもやっぱり知名度によるんだと思うんだよな。猪口さんには番組初期のほうに出ていただいたので。

今は**成田さんが、「マリオがスター取った状態」みたいな、何でも跳ね返してしまう無双になって、あまり真剣に成田さんに対して議論を吹っ掛ける人がいなくなっている。**それはそれで、おもしろくないなと思うんですよね。

だって、成田さんの言っていることって、とても興味深いし、学術的な裏打ちがあったりしますから。かなり革新的なこともあるけど、やっぱりちゃんと議論すべきものもいっぱいあります。『22世紀の民主主義』も、あの本はおもしろいし、絶賛されてしかるべきだと思うんですけど、**政治家も批評家も絶賛しかしないのは、やっぱりちょっと気持ち悪い。**

ひろゆき 「やっちゃいけないことをやる」っていうのを成田さんもやるようになったけど、なぜか**成田さんはスルーされる率が僕よりもだいい**

ぶ高いなっていうのが、不思議な感じはしますね。

「高齢者vs.若者」の対立構造は存在するか

パンダ　「Re:Hack」では高齢者と若者の対立構造を前提としている局面がけっこうあると思うんですが、高齢の人たちって本当に、あまり若者のことを考えてないんですかね？まったく考えてないということはないと思うんですけど。

政治家のみなさんは、「それは違う」って言うじゃないですか。猪口さんは、「出身地の千葉でいろいろと回っていると、よく若者の将来を心配している高齢者に出会う」って言っていましたし、たしか片山さんも似たようなことを言っていたと思うんですね。

そういう肌感って、政治家特有の誤謬《ごびゅう》に基づいたものなのか、それとも、意外と高齢者も若者のことを考えているのか、どう思います？

ひろゆき　うーん。今の政治家の方の話は、基本、支援者から聞いた話だと思うんですけど、それが偏っているのは確実なので、支援者レベルの話を信じている人たちってどうなのかなとは思います。

じゃあ、高齢者が若者のことを「どうでもいい」って思っているかというと、たぶん、そうではないと思いますよ。ただ、その「高齢者が想像している若

者」と「現在の若者」が違うっていうことを、分かってない人が多いんじゃないですかね。

だって、今の70代、80代の人たちって、国立大学の年間学費が1万円とかだった時代の人じゃないですか。下宿は月に2、3万円でした、みたいな。

そういう「ちょっとバイトすれば、学費や下宿代は出せて当然だよね」っていう社会状況の中にいた人たちは、**大学生の半分が卒業時に300万円とかの借金を背負っているっていう今の社会状況が、分かってない**と思うんですよね。社会保険料の額だって、今と昔とではまったく違うじゃないですか。たぶん、そういうところも分かってない。

パンダ　なるほど。たしかに経験してきた時代による差異っていうのはありますよね。ただ、ここで話を単純化したり、重要な点を見落としたりすると、けっこう問題設定を間違える気もしているんです。

高齢者でも、若年層にメリットがいくことに、そこまで否定的ではない方もいるんじゃないかと思うんですよ。自分の子どものメリットは、100%同じではないかもしれないけど、自分のメリットにも感じるというか……。そういう肌感、ありませんか？

自分の子ども世代とか孫世代にお金が回ることには、やっぱり賛成する気がするんです。

ひろゆき　今の50代の25％の男性は生涯未婚ですよね、たしか。

パンダ　そうなんです。本当の問題はそこなんじゃないかという気がしているんです。つまり、**「若者と高齢者」っていう対立じゃなくて、本当は「家庭を持った高齢者と、そうじゃない高齢者」との間に分断がある気がする。**これ、どう思います？

ひろゆき　うん、あると思いますよ。それを言ったら、若い人でもいろんなパターンがありますけどね。
　ただ、高齢者に話を戻すと、**そういう分断があっても、どのみち「高齢者優遇がいい」っていう話になる**わけですよ。だって、孫とか子どもがいて「自分たちの子ども、孫に幸せになってほしいよね」って思う高齢者は、高齢者優遇でちょっと豊かになっている分を、直接、自分の子どもや孫に渡せるじゃないですか。子どもがいない高齢者は、赤の他人の子どもたちなんかどうでもいいから、自分たちを優遇してほしいじゃないですか。

パンダ　子どもや孫がいる高齢者も「高齢者優遇が正しいよね」って思っちゃうんですかね？

ひろゆき　自分たちが優遇されて得たお金を、直接、自分の子どもや孫に渡したほうが喜ばれるじゃないですか。要は「国からお金が下りてくる」とかよりも、例えば年金をたくさんもらっている高齢者が、そのお金で「よし、おじいちゃんが、おもちゃを買ってあげるよ」っていうほうが、自分の子どもとか孫に喜ばれる。

だから、さっきも言ったように、子どもや孫がいる高齢者も、そうじゃない高齢者も、どっちも「高齢者優遇が正しい」っていう結論になっちゃう気がするんですよね。

パンダ　なるほど。おもしろいな。「Re:Hack」あるいは世間全体の前提となっている「若者対高齢者」っていう利害対立が、本当に、そこまで単純化していいのかっていうのは、またお聞きしてみたいですね。

複雑にしすぎると何も捉えられなくなるので、ある程度、単純化はしなくちゃいけないんですけど、それでも、本当の対立構造はそこなのかっていうのは、今後また「Re:Hack」で考えていきたいなと思います。

ひろゆきvs.パンダ

特別語り下ろし①

「賛成か反対か」ではかれるほど、世の中は単純ではない

ひろゆき　お医者さん周りで聞く話だと、胃ろうでも、高齢者本人は胃ろうをしたくないんだけど、「生きていれば、それだけ年金がもらえるので、だったら子どもたちのために頑張って胃ろうをしよう」とか考える高齢者もいるらしいです。

パンダ　そういうのもあるでしょうけど、ひろゆきさんの率直な肌感としては、どうですか？　仮に自分が子どもや孫だったら、手術の費用でちょっと自分たちが無理をしてでも、お父さん、おじいちゃんに胃ろうをする手術をやってあげたいと思いますよね。

ひろゆき　たぶん、それは**胃ろうをつけた最初の1週間くらいしか想像できてないから**ですよね。胃ろうをつけた状態で、衰弱して、ベッドからもほとんど出られなくて、できることもなく、飯も食えず、ただ栄養だけもらって生きながらえているだけで、「もうつらいので、これ、外してもらえないですか」っていう高齢者がいるというのが、分かってないいんだと思うんですよね。

パンダ　もちろん、ご本人の意思であれば外していいと思うんです。ただ、ご本人が胃ろうを望んでいたら、保険適用じゃなくても、やっぱり家族はやってあげたいと思うんじ

ゃないですかね。

ひろゆき　1回つけて、「そこからの栄養がなくなったら死ぬ」って分かっている状態だと、医者は、外せないじゃないですか。

パンダ　そうか。日本だと、尊厳死は一般的ではないですからね。

ひろゆき　だからたぶん、**1回つけたら、つけっぱなしにせざるを得ない。**

パンダ　だとすると、きついか。ご本人が苦しむのはよくないし、ご本人が苦しむ姿は家族も見たくないですからね。

つまり、ひろゆきさんが言っているのは、「つけるか、つけないか」の入り口の選択肢しかないっていうことですね。それを熟慮した上で、もし「つける」をご本人が選択するのなら、経済的な負担は何とかしてあげたいというのが家族っていう気もするんですよね。

ひろゆき　なんだろうな、今、「胃ろうというものが、あるべきか、ないべきか」っていう社会の話をしちゃっていると思うんですけど、**「死ぬ間際に、どういう形の金を使ったほうが幸せか」っていう議論を**

するべきだと思うんですよね。そうすると、「胃ろうと比べたら、すげえいい飯食って、楽しい思い出つくって、『お疲れ様でした』って死んだほうがいいよね」っていう人もいると思うんですよ。

こんなふうに「太く短く生きて死ぬのも楽しいね」みたいな人もいるので、「そういう生き方もいいんじゃない？」という方向で認めたほうが、僕はいいと思うんですけど。なので、胃ろうがどうこうじゃなく、もうちょっと大きな枠組みで考えたほうがいいと思う。

パンダ　そうですね。生き方は選択できたほうがいいですから。

ひろゆき　「太く短く」みたいな選択肢も含めて、それでも、胃ろうがいいっていう人がいれば、ベッドの上で胃ろうをつけて「細く長く」生きるということでもいいと思うんですよ。

パンダ　胃ろうの問題って、今まさに話に出たように、生き方や価値観の問題も絡んでくるから、「財源の配分を若者にするか、高齢者にするか」っていうような単純な対立構造の問題じゃないですね。

政治家の「全員を救いたい」は視野の狭い妄言か？

パンダ　この「Re:Hack」は「政治メディア」風な雰囲気を出しているんで聞きたいんですけど、ひろゆきさんは、日本がよりよくなるためにはどうしたらいいと思いますか？

ひろゆき　うーん。「よりよい」の意味が人によって違いますけど、たぶん選挙の結果によって、大多数の人にとって「よりよい日本」になっているんじゃないですかね。ただ、「そうじゃない」って思う人が、ネットとかを使っている人に多いっていうだけじゃないですか。

パンダ　なるほど。政治って基本的に「配分」であって、最終的には多数決で決めたものに従わせるっていう根本がありますよね。言ってしまえば、**暴力装置を独占して、少数者に「言うこと聞いてください」っていうのが、政治**じゃないですか。

ひろゆき　うん。

パンダ　そういうところを、普通は、まあまあ理解しているんだろうなと思うんですけど、その反対側で**「そうじゃない。全員を救うんだ」って、本気で言っている人がいるなら、そこもすごく興味がある**んです。

僕自身、やっぱり全員が救われてほしいという思いがあるし、例えば目の前で自分のじいちゃんに胃ろうが必要になったら、死んでほしくないから、公費で負担してもらえるんだったら、当然、やってもらいたいに決まっています。もちろん財源にも民主主義という制度にも限界はあるんですけど。

だから本当に「全員を救う」って本気で言っているのかどうかを、いっぺん聞いてみたい。もし本気で言っているんだとしたら、そこはチャレンジしていく政治家さんなんじゃないかなとは思うんですよ。

ひろゆき　**「全員を助ける」だと勤労世代が助からないよねっていうところが、見えてない気がする**んですよね。

パンダ　いや、見えているんじゃないですか。見えてないのかな。

ひろゆき　勤労世代の社会保険料の負担が、どんどん増えているじゃないですか。

今、働いている人たち、例えば今の20代が70代になったときに、年金として受け取る額は、納めてきた額よりも低くなるんじゃないかっていわれたりもしていますよね。そういうのもあるし、「今の医療制度を維持していくと、それは勤労世代の負担がより増えることになるよね」っていうのは、ちゃんと調べれば分かると思うんですよね。

なので、**実は「全員を救いたい」じゃなくて、「今、自分の目の前に見えている人たちを救いたい」っていうだけなんじゃないですか？**

勤労世代の負担って、分かりやすく目に見えないじゃないですか。手取り20万円の子が、例えば「社会保険料として1万円、多く取られて手取り19万円になりました」ってなっても、突然、腕がなくなるわけでもないし、歩き方が変わるわけでもないので、たぶん、分かりやすくは伝わらないと思うんですよ。

「全員を救いたい」とか言っている人は、そういうのが見えてない人なんだろうなーと思うんですけど。

パンダ なるほど。その可能性も1つありますよね。一方、政治家のみなさんが大好きな、マックス・ヴェーバーの『職業としての政治』(岩波書店)っていう本、あるじゃないですか。その最後のほうに書かれている一節で、「どんな事態に直面しても『にもかかわらず!《デンノッホ》』と言い切る自信のある人間。そういう人間だけが政治への『天職《ベルーフ》』を持つ」っていうのがあるんですね。

現状としての難しさとか限界は百も承知、「にもかかわらず」、自分の信念に基づいた何かをやってやるんだ、と言える人でなければ、政治家としての資質がないっていうことだと思うんですけど。

そういう意味では、勤労世代の負担が増えるのは分かっているけれども、それでも「すべての人を救いたいんだ」って言う政治家には、やっぱり僕は興味があります。本気で言っていれば、ですけどね。

というわけで、「Re:Hack」では引き続き、いろんな政治家の方もお招きして、ひろゆきさん、成田さんと議論していただきたいと思います。

成田悠輔 vs. パンダ 特別語り下ろし

2

政治を殺した？　メディアの功罪
～新時代の政治・メディア論～

政策論がハマッた回が意外と伸びた理由

パンダ　「Re:Hack」の政治家系の回の総括ということで、いろいろとお話をうかがえればと思います。本書には菅さん、猪口さん、玉木さん、片山さん、泉さんが入りましたけど、この方々も含め、2年くらい政治系の「Re:Hack」をやってきて、どんな感想ですか？

成田　うーん、だいぶ政治家系は停滞してきましたよね。自爆系の人を連れてきて、プチ炎上させるぐらいしか、コンテンツのつくりようがなくなってきたっていう感じなんじゃないかなと、横から見ていると思うんですが。どうでしょうか？

パンダ　いや、数字を見ていると、実は逆なんじゃないかなと思うんですよ。もちろん、泉さんの回がすごく見られたとか炎上系は伸びる。僕みたいなクソプロデューサー的に、それは「よし！」っていう感じなんですけど、一方、意外に、片山さんとか玉木さんの回、要は**政策議論がバキッとハマッたときの回が、かなり見られている**んです。

成田　まともですからね。ちゃんと全体像で政策論がある政治家が、1時間とか1時間半とか、まとまって話すっていうコンテンツはあんまりないですから。

そういう人って、だいたい本を出したりはしているんですけど、それを**大真面目に読んでいくのはつらい**じゃないですか。そこを埋めるコンテンツとしては、動画で長く、しっかり扱うっていうのはけっこう価値があるのかもしれないですね。菅さん、玉木さん、片山さんあたりは、そういう形で受け入れられているのかもしれません。

日本の少子化問題、解決を阻む3つの壁

パンダ　あとは猪口さんなんかも、少し政治哲学のほうにもいきましたけど、けっこう中身があったかもしれないですよね。

成田　……そう、ですね。

パンダ　何ですか、今の間《ま》は？

成田　まあ、**少子化対策とか女性活躍みたいな方面に力が入っている人は、厳しいんじゃないですかね、**実態があまりにも悲惨なので。「何とかをやりました」っていう実績で売りようがないっていう感じじゃないですか。

パンダ　おもしろい。では少子化問題からいきましょう。
この「Re:Hack」をずっとやってきて、少子化問題について何か考えが変わった点とか、あるいは、現状、どういうふうにしたらいいかというお考えとか、ありますか？

成田　うーん。正直、いろいろ話していろいろ聞けば聞くほど、難しくてよく分からないなっていう感じになってきていますね。もちろん、経済的にいろんな対策はできるんだろうし、試してみるべきだと思うんですよね。だけど、それが効くかっていわれると、よく分かんないですね、やってみないと。
少子化って、日本だけの問題じゃなくて、特にアジア圏の他の、中国の都市部、韓国、シンガポールなんかは、むしろ日本よりひどい状態になっています。高齢化・少子化・人口減少のインパクトが、まだ出てきてないっていうレベルだから、現状の「人が子どもを生まなくなっている」っていう問題のひどさでいえば、日本はまだマシなほうかもしれないと思うんですよ。

※中国の都市部、韓国、シンガポールなんかは、むしろ日本よりひどい状態……「World Bank - Data Indicators」によると、2020年の合計特殊出生率(1人の女性が一生の間に生むとされる子どもの数)は、世界187の国と地域の中で日本は174位(1・340)。シンガポール185位(1・100)、香港186位(0・868)、韓国187位(0・837)と、アジア圏がワースト3を独占している。

他の国も同じように悲惨なことになっていて、みんなも頑張って手を打とうとしても、全然改善しようがないわけです。だから、もしかしたらちょっと運命論的というか、冷笑的といわれるかもしれないですが、解きようがない問題なのかもしれないですね。

パンダ　「Re:Hack」の過去の放送を見直してみると、大きく3つの問題に集約されるんです。**民主主義**の問題、**経済政策**の問題、そして**少子化**の問題。**この3つが絡み合って物事が解決されないという結論になることが多い**。いつも、それをどうしようかっていうのを一生懸命話し合っていく方向に集約しています。

今回は少子化を切り口にすると、どうして先進国では少子化が起こったりとか、それに対しての対策が効かなかったりするんでしょうね？

成田　みんな豊かになって、暇ができて、自分のことばっかり考えるようになるからじゃないですか？　**損得勘定とか合理的な判断でいったら、生まないのが自然**だと思うんですよね。そういう、ごくごく自然なことをやるようになっているっていうだけなんじゃないですかね。

パンダ　「もっと楽しいことがあるから、そっちをやるよ」っていう？

成田　「もっと楽しいことがある」っていう言い方もできますし、**「子どもを生んで育てるということのデメリットが大きすぎる」**っていうことじゃないですかね。

パンダ　エンタメとか娯楽とか、子育てから得られる楽しさ以外の誘惑がたくさんありますから、そっちに流れちゃうのは自然の摂理という気もする。だからって、そっちをなくすのは不健全な気がするんですけど、子育ての大変さのほうを取り除くことは可能だから、やっぱり政策でいうと、そこをやるしかないと思うんですよね。

どれだけ子育ての大変さを取り除けるかどうかで、出生率に差異が表れてくると思うんですけど、そこでは何が具体的に弊害になっているんですかね？

成田　いろんなものの組み合わせなんじゃないですか。**単純に「お金」の側面**もあるだろうし、**女性側、お母さん側で見ると、キャリア的に、子どもを生むことで取り返しのつかないダメージを受ける**場合がけっこうあるじゃないですか。

だから、お母さん側が普通に自分のことだけを考えていたら、子どもを生もうとする理由があんまりないっていうことになっちゃうと思うんです。そういう「女性のキャリア面」の話と、それから単純に**「時間」**っていう話もある。「子どもを育てるということに、みんなが時間を使いたいか」っていうことですね。

今、挙げたうちの「お金」なんかは、どうにかできる可能性はありますよね。子どもを生んだことに対してお金を付ければ。でも、それ以外のものは、政策的にどうこうできるものかっていわれると、けっこう厳しいんじゃないかなっていう気もします。

労働市場が子どもを生んだ人をどう取り扱うか。子どもを生んだ人を雇い続けたり、子どもを生んだ人を昇進させたりすることに対して、巨大な補助金を付ければ別なのかもしれないですけど、すごくトリッキーなことをやらない限りは、政策でどうにかできるものじゃないですよね。

それは、企業とそこで働いている人たちが自分たちで決めることじゃないですか。でも、慣習を変えるのってすごく難しい。賃上げを政府が誘導するのが難しいのと同じように難しいと思います。

で、時間に関してはもっと難しいですよね。これは、どうしようもない。ベビーシッター文化みたいなものの普及を徹底すれば別かもしれないですけど、そもそも日本みたいに給料が安くて、さらに円安になっている国に、海外の安い労働者がベビーシッターとしてきてくれる見込みって、あんまりないじゃないですか。

そうすると、人手がこれだけ足りてない中で、親御さんたちの時間を代わりに提供してくれる、ベビーシッターさんみたいなものを手に入れるとなると、「すごいお金も必要そうだよね」といって難しいっていう話になるんじゃないかなという気はしているんですが。

パンダ　なるほど。

ヨーロッパの先進国では、いまや「少子化逆行」がトレンド？

成田　ただ、今まで話してきた話は、だんだん豊かになっていって、いろんな娯楽が溢《あふ》れるようになって、「そうすると子どもを生まなくなるのが自然だよね」って話じゃないですか。

だけど同時に、**ここ20年ぐらいで、特にヨーロッパを中心とするような豊かになった国って、一定水準を超えると、逆に子どもを生む方向に戻っていく**みたいな話があるんですよ。

パンダ ほうほう。

成田 つまり、その国がどれだけ豊かかってことと出生率みたいなものを見ると、昔は分かりやすく「豊かになれば豊かになるほど子どもを生まなくなる」って傾向があったのが、その逆みたいな傾向が、ここ20年ぐらいで生まれているっていうのは有名な話なんですよね。その代表例が北欧諸国ってことになると思うんですよ。すごく豊かで、子どもをけっこう生むようになっている、と。

※その代表例が北欧諸国……前述の「World bank - Data Indicators」によると、スウェーデンは1998年・1999年の1・50を底に、2010年には1・98まで回復し、2020年は1・660（136位）。デンマークは1983年の1・38を底に、2010年には1・87まで回復し、2020年は1・670（135位）。

だけど東アジアの豊かな国に関しては、そういう逆転を達成できた国が1つもないんじゃないですかね。

パンダ そこの北欧と東アジアの違いって何なんですかね？

成田　何だと思われます？

パンダ　まず1つは、北欧は小国っていうのがありますよね。人口規模が極端に少ない。あとよく感じるのは、近くにバルト3国とか安くて、でも同じEUという枠組みの中での労働力の供給源があるので、そこからの搾取によって経済が豊かになっているんじゃないか、とか。漠然とですけど、小国で、周りに安い労働力がたくさんあるっていう環境で達成できていることが、けっこうあるのかなっていう感じなんですけど、どうですかね？

成田　正直分からないんですよね。ただ、近隣諸国に安い労働人口がいるっていうことでいえば、東アジアだって、そうだといえばそうじゃないですか。むしろ大爆発している南アジアから東南アジアの人口がいるっていえばいるわけですよね。

だからそれとは違う理由で、**もともと儒教っぽい価値観を持っていた東アジアの国が、だんだん欧米っぽいリベラルな価値観みたいなものを融合していくと、実は、とんでもない少子化が起こるっていうのが、ここ数十年の人類の発見**なのかもと思うんですよ。

パンダ　なるほど。めちゃくちゃおもしろいですね。

成田　問題は、「それがなぜなんだ」ってことですよね。日本、韓国、台湾、香港、それから上海みたいなところでは人口をまったく維持できないので、ここら辺の領域は全部日本状態になっていく。そうすると、**アジアの中での経済とか、政治、文化の中心にもなり得なくなっていく可能性がありますよね。**

つまり、**インド、インドネシア、ベトナムあたりがガンガン人口を伸ばしてくると、そっちに食われてしまう可能性も十分あるというぐらい、**すごく巨大な「危機」なんだと思います。

パンダ　アジアと北欧で何が違うんだろう。儒教的な文化っていったら、ベトナムとかも、やや人口が増えて豊かになった後に、日本とかと同じ道を辿る可能性はありますね。

成田　あとは広い意味での少子化対策。婚外子の話とかもあるじゃないですか。そういうことも含めた全体的な子育て支援のための制度をつくるために使っているお金、労力が全然違うっていう可能性はありますよね。

パンダ　どうして北欧って、それがうまくいくんですか？

成田 「その危機が先にきたから」って可能性もあるんじゃないですか。１人当たりの豊かさでいえば世界一で、ちゃんとした個人主義とか自由意志みたいなものの文化もある西ヨーロッパの国。その典型的な問題が先に現れたっていう、それだけの可能性もありますよね。

パンダ 日本なんかよりも、ずっと先に少子化していたから、先に対策を打って、解決していったと。

成田 うん。だから、何か根本的に文化的な違いがすごく効いているのか、それとも純粋にお金とか制度を変えるみたいな話なのか、ちょっとよく分からないです。そこらへんを、もうちょっと詳しい人たちに聞いてみたいっていう気持ちはありますね。

パンダ めちゃくちゃおもしろそうですね。少子化問題について、北欧とアジアの比較から、１つひとつ変数とか要素と思われるものを洗い出して、「これはどうなのか」「どこが、どれくらい違うのか」みたいな話を1回、やってみたいですね。

政策は「何が効いているのか」は結局のところ分からない

成田　ただ、「何が効いているのか」ってことについては、ぶっちゃけ、分かんないと思うんですよ。

というのは、少子化対策ってマクロ経済政策とかと同じで、一国単位で政策とか制度が決まっているじゃないですか。だから**「何かの制度変更が効いたのかどうか」っていうのは確かめようがない場合がほとんどだと思う**んですよ。

つまり「日本で何か制度変更がありました」――例えば「子ども手当が支給されるようになりました」としますよね。「これで出生率は変わりましたか？」というと、「その制度が始まる前と後を比較する」ぐらいはできますよね。

だけど、だんだん出生率が落ちていっている。時間とともに社会自体が変わっているので、その制度変更の前と後を比較したときに、本当に、それがその制度変更の影響なのかっていったら、怪しいじゃないですか。

だから、**この国の中だけで「本当に効いたか効かなかったか」を議論するのは、ちょっと無理がある**わけです。

パンダ　なるほど。

成田　国際比較みたいなものをやろうと思えばできますけど、国際比較したらしたで、日本と北欧とかを比べても、そもそもすべてが違うので、「その2つの違いがどこからきているのか」っていうのを確かめるのは難しいじゃないですか。
だから少子化対策とか、あるいは何かの財政政策――「国債を刷るのがプラスなのかマイナスなのか」みたいな、一国レベルで決まるマクロな政策については、本当に何が効果があったのか、なかったのかっていうのを、厳密に検証するのは不可能に近いんですよね。

パンダ　その観点でいうと、自治体の方を番組に呼ぶのもいいのかもしれないですね。自治体だと似た条件のところが日本にもたくさんあって、その中で「この市とこの市で、こういう差が現れている」っていうのは、まだ検証しやすいかもしれない。

成田　効果をちゃんと知りたいのであれば、単位を小さくすればするほどいいっていう感じですよね。自治体とか企業とか。

パンダ　そうか、企業の子育て支援とか。

成田　はい。「それによって企業内での出生率が、どれぐらい変わったか」みたいなデー夕も、ときどき出てきますよね。**大手の商社の中でも、伊藤忠ではとんでもない勢いで社員が子どもを生むようになっているという話**とか。

今ちょっと調べたら、伊藤忠の社内出生率、2005年には0・60だったのが、今は1・97になっているって出ています。その間に、社内託児所の設置、朝型勤務の導入、在宅勤務の導入などの施策が行われた、と。

パンダ　めちゃくちゃ興味深いですね、それ。それが企業文化なのか政策なのか、分からないですけど。企業人は「Re:Hack」を誤解しているみたいで、全然社長さんとか出てくれないんですけど、そういう話を聞きたいから、伊藤忠の社長さん、出てくれないかな。

「断言できない」は「何も言っていない」と同義なのか?

成田　少子化もそうですが、マクロな話について、「右か左か」みたいな話になって、「右だ」と断言している人たちと「左だ」と断言している人たちが、徒党を組んで冷戦状態のようになっているのがいたるところで見られるのが、今の日本ですよね。

「経済政策でお金を刷りまくったほうがいいのか」みたいな話なんて、その典型だと思うんですけど、その手の断言している者同士で冷戦を繰り広げるっていうのは、あんまり意味がないんじゃないかなって、慎重な学者である僕としては思っている次第です。

こういうことを言うと、また叩かれて、**「中身がない冷笑系」**とかいろいろ言われるわけですが。

パンダ　ひどい言われようですよね。

成田　「何か言っているようで何も言ってない」っていうことらしいです。

それは、つまり「断言はできない」ってことなんですよね。**僕は「なぜ断言ができないか」っていうことを説明しているつもりなんですけど、「断言できない」という結論になると、世の中には「それは主張することから逃げている」って思う人たちがたくさんいるんだなと思って、「頭の悪い人たちはかわいそうだなあ」と見下している次第です。**

パンダ　「試せないから分かんないよ」っていうのは、統計学者としては、まあまあスタート地点の話ですよね。統計学って、僕も大学時代には取らなかったけど、取ったほうがいいですよね。

成田　いや、統計学を取っても「マクロな問題についてはますます分からない」っていうことが、よく分かっていくだけなんで、そんなに意味があるかは分からないですよ。

この手のデータとか論理とかで結論を出すみたいな話っていうのは、ミクロで個別具体的な問題については、かなり有効なんですけど。何回も実験できるような企業の意思決定とか、個人とか家庭の意思決定とかであれば、いろいろいえると思うんですよ。でも国の行く末というようなことに関して、データできっぱりはっきり何かをいうっていうのは難しいですよね。

「世代間の分断」の有無、成田悠輔はどう見ているのか

パンダ　もう1つ、よく番組で議論になることで気になっているのが、若者と高齢者の分断の話とか、若者の政治参加の話です。

民主主義、経済政策、少子化でいったら、この話は民主主義の文脈に紐《ひも》づいていると思うんですけど、少子化問題もそうですが、**「経済政策がうまくいかない、富の分配がうまくいかない、それは若者と高齢者の間に利害対立があるからだ」**という命題に関してはどう思います？　経済政策とか分配がうまくいかなくて、経済成長が立ちゆかないみたいな議論になりがちですが。

成田　今みたいな年金とか社会保障の仕組みを使っている限りは、そういう利害対立はあるんじゃないですか。ただ、その利害対立があるっていう話と、経済成長が止まっているっていう話が、それほど密にリンクしているかどうかは、よく分からないですよね。

パンダ　それでいうと、例えば、年金に財源を付けるか、少子化対策に財源を付けるかみたいなところで、高齢者と若者の投票行動って違うんですかね。

成田　うーん、その個別のイシューについて聞いてみれば、違いがあるかどうかっていうのは調べられるんじゃないですか。そういう調査をやっている人たちはいますよね。
ただ、実際に投票するってなると、今の制度では個別のイシューについて投票するわけじゃなくて、政党とか政治家に対して投票することになっていますよね。だから、そのレベルに話を集約してしまうと、一見、存在している世代間対立みたいなものは、投票行動としては、それほどはっきり表れないっていうことなんじゃないですかね。

パンダ　「若者も自民党に投票しているから」ってことですよね。

成田　うん。どの世代で自民党支持率が高いかっていうと、ざっくり20代と60～70代で高い場合が多いですよね。だから支持政党っていうことでいえば、分断は起きていないというか、むしろ**高齢者と若者はタッグを組んでいる**っていうような感じなんじゃないですか。

でもそれ以上に、そもそも現状の日本だと、その「対立が」とかっていう以前に、そもそも選択肢がないですよね。

パンダ　自民党一択みたいな。

成田　だから対立が存在していてもしていなくても、そんなに関係ないっちゃ関係ないんじゃないですかね。

パンダ　「選択肢がない」っていったら各党に失礼だけれども、どうしたらいいんでしょう。二大政党制にするのがいいとも思わないけど。

成田　**選択肢がないことが悪いかって言われると、必ずしも悪くないと思いますよ。**そのおかげで、これだけ安定した長期政権が存在しているわけですから。で、それによって生み出されている社会の安定性っていうのも当然あると思うんですよね。

二大政党制みたいなものがしっかり確立されている国を見ていると、だいたい「その弊害がいかに大きいか」っていう議論がされているんですよ。

例えばアメリカはもとから二大政党制で、どっちが政権を取るかによって、役人とかもガラッと変わるじゃないですか。それはそれで、「教育と医療みたいに、すごく長期的に一貫した投資が必要な政策を、アメリカみたいな国でしっかりやるのは難しいよね」っていうのは、大昔からいわれていたわけです。

さらに、ここ10年とか15年ぐらいでアメリカの与野党、つまり民主党と共和党の間の対立関係の拮抗《きっこう》状態が、かなり先鋭化している。けっこうパワーバランスがギリギリな上に、いろんな状況で足を引っ張り合っているので、新しい法律を通すのがすごく難しくなっているっていうデータがあるんですよね。それによって「アメリカの政治がいかに機能していないか」っていうことがよく議論されるんですよ。

パンダ　はい。

成田　ちょうど最近、『The Politics Industry（政治という産業）』っていう本を読んだんですけど、それも「ここ最近のアメリカ政治が、政党の二極化によって、いかに機能不全を起こしていて、何も重要な政策を実行できない国に成り下がってしまっているか」っていう話なんですよね。つまり、**二大政党制がしっかりと確立されているみたいに、オルタナティブがちゃんと存**

在していることがつくり出してしまう問題っていうのもあるわけなんですよ。

※『The Politics Industry（政治という産業）』っていう本……Katherine M. Gehl and Michael E. Porter, *The Politics Industry: How Political Innovation Can Break Partisan Gridlock and Save Our Democracy* (Harvard Business Review Press, 2020. 6)

そう考えると、「日本では自民党一択だ」っていうことが、完全に悪いかどうかは分からないと思います。今のままでいいかどうかは微妙ですけど、単純にオルタナティブを増やして、その間で戦わせればよくなるっていう話にはならないと思いますね。

パンダ　そうか。「今の中でどう改良していくか」っていう考え方もあるってことか。

実は政治家ほど「頑張ってる人たち」はいないんじゃないか？

パンダ　「Re:Hack」で見てきて、政治家って、やっぱりすごいなと思うんですよね。「ズケズケ言われるとか弱点を攻められるとか、そういうところを乗り越えてでも、世論に訴えかけることにチャレンジしなきゃダメだ」みたいな意識がある。結果、失敗する人もいますけど、そういう気概があるのが、政治家のすごいところだなって思います。

成田　どうしてなんですかね？　芸能人とか企業経営者はブランド毀損《きそん》みたいなのをすごく気にするじゃないですか。だけど政治家は、けっこう傷つくリスクも負って、ひょいひょい出てくる。この違いは何なんですか？

パンダ　何なんだろうな。やっぱりマスに訴えかける必要性が、企業より政治家のほうが高いんですかね。

企業の人って、別にマスに訴えなくてもいいみたいなところがあるじゃないですか。だけど政治家の人って、国家的な問題にも絡んでくることをたくさんやらなきゃいけないから、やっぱりマスにどんどん訴えなくちゃいけなくて、そのためのツールを自分たちで持ってない場合が、今のところは多いですよね。ＳＮＳで少し変わってきましたけど。何が何でもマスに訴えることに挑んでいくみたいな、そういう政治家の姿勢はよくないですか？

成田　うん、**いいと思いますね。**いや、逆にいうと、芸能人とか経営者の人たちのことが、僕にはよく分かんないんですよね。「あんなに縮こまって、安全領域だけで動いていて、人生楽しいのかな」って、いつも見ていて思うんですけど。

パンダ　成田さんのその言葉、本当に染みます。

成田 **アメリカには、マーク・ザッカーバーグとかイーロン・マスクみたいに、「ちょっと狂っちゃってるんじゃないか?」っていうぐらい、どんどん人に嫌われる方向に進む人たちがいる**じゃないですか。

ああいう人が日本の経営者にほぼ皆無なのは、どっちが鶏と卵なんだろうなっていうのは不思議なんですよね。そういう人がいないから、とんでもなく大化《おおば》けする企業が生まれないのか、それとも大化けした企業にならないと、そういうことはできないのか、どっちなのか気になる。

パンダ たまに「Re:Hack」でも話題になりますけど、挑戦的なことを大きな声で言ってきた人は、日本では逮捕されるからじゃないですか。少しチャレンジすると、他の企業もやっていることをやっている人を逮捕して、社会的に抹殺するっていう、**素晴らしき同調圧力**が発生している社会じゃないですか。

これも深掘りしてみたいテーマですが、**逮捕までいかなくても、そういう人を、いったん持ち上げておいてハシゴを外す、みたいな文化**はあるかもしれないですね。藤田晋《すすむ》さんとか孫正義さんだって、けっこう挑戦的な発言をして叩かれた時期とか、たぶんあっただろうし。このお2人は、それを乗り越えるぐらい強くなっちゃいましたけど。イーロン・マスクとかも叩かれまくっているわけですもんね。

成田 ヤバいセクハラ案件とかもガンガン出ているのに、全然OKな感じじゃないですか。不思議ですよね。

政治が「楽しいお祭」になればいい

パンダ　僕なんか、「**政治なんて楽しけりゃいいんじゃないの**」ってな感じで、もうよく分かんないことは「ヨイショ」って亀の甲羅を割って「分かんないけど、何となくこっちだ」みたいに言うのが政治だと思っていて、「Re:Hack」も、だったら「楽しくて若干興味が持てりゃいいわ」ぐらいの思いでやっているんですけど。結局、マクロのことは、亀の甲羅割るぐらいで決めるしかないってことですよね。政治って、その言葉の通り、もとは「政《まつりごと》」なんだから。

※亀の甲羅を割って「分かんないけど、何となくこっちだ」みたいに言うのが政治……古代中国、特に殷代には、亀卜（きぼく）という亀甲を用いて吉凶が占われていた。日本には奈良時代に伝来したとされ、朝廷で重大事に用いられていたという。

成田　政治については、正しい方向かどうかっていうこととは別に、単純に「リーダー感があるか」とか「お祭り感があるか」っていう側面があるじゃないですか。そっちがすごく弱まっちゃっているように見えるのは、残念なことかもしれないですね。

パンダ　そうですよね。決断するリーダーシップとか、みんなで興味を持っていろいろ話していけるお祭り感とか。

成田　やっぱり**安倍さんと小泉さんとかには、そういうお祭り感がありましたよね。**

パンダ　あった。なんで今の政治家には、それがないんですかね？　キャラがよくない？

成田　今の政治家の人たちには、「少なくともお祭りを引っ張っていくリーダーであってほしい」っていう要望はできるかもしれないですね。

パンダ　**「政治はお祭りである」**っていうことと、**「政治家の人に、そのお祭りを引っ張ってほしい」**っていうの、いいですね。そこでもう1つ、いいですか？

成田　はい。

パンダ　お祭りって見るのも楽しいけど、参加すると、もうちょっと楽しいじゃないですか。参加には、「投票」と「立候補」っていう2つの形がありますよね。で、僕は**「立候補」がもっとチャラくなればいいんじゃないか**

なと思っているんですよ。今、あえて言葉を極限まで軽くしましたけど、要は、すごい気楽でいいんじゃないかなって思うんです。

ヨーロッパとかだと、バイトみたいな感覚で、副業しながら議員をやっている人もいるじゃないですか。日本でも一部の自営業には兼業が許されているので、田舎のほうに行くと、農業やりながら議員やっている人とか、けっこういますけど。

成田　むしろ、それが中心ですよね。

パンダ　ですよね。ただ、世の中の多くの人がサラリーマンをやっている時代なので、会社勤めしながらサクッと区議会とかの議員になるっていうのも別にアリじゃないですか。サラリーマン議員もＯＫみたいな制度をつくったら、もっと楽しくなるんじゃないかなと思いますけど、どう思います？

成田　それは単純にいいと思うし、実際にＮＨＫ党とかは、そういうことをやっているっていうことになるんじゃないですか。YouTuberとかも出馬しているわけですし。

パンダ　医師・税理士などの士師業、農家とかはできるし、YouTuberも自営業の人はいいけど、それがサラリーマンもできるようになると、もっと楽しそうじゃないですか？

成田　サラリーマンができないのは、要は、雇っている側の規則の問題ですよね。

パンダ　はい、**就業規則が法律より優先されちゃう**わけなんですけど。

「ちゃんとした民主制」は実現できる？政治のパラドックス

成田　今の話でいえば、**政治と縁がないとか、政治が嫌いな業界がすごい多い**と思うんですよ。研究の業界とかもそうなんですけど。例えば農家の利害を代表している議員さんは、いますよね。郵便局員の利害を代表している議員さんもいる。
だけど研究者とか大学教員の利害を代表している議員さんっていないと思うんですよ。一見、そういう口ぶりをしている人も、実際には、別の利害を代表している場合がほとんどだと思うんですよね。研究者とか大学教員から国会議員になったみたいな人も、ほぼほぼいないっていう感じで。

パンダ　大好きな猪口邦子さんがいるじゃないですか。

成田　うん、だから猪口さんとか竹中平蔵さんみたいな人が、10年に1人いるかいないかっていう感じですよね。

パンダ　そうですね。本当に珍しいですよね。

成田　それと似たことがいろんな業界で起きていると思っていて、例えば映画業界とかも左翼的だから政治の世界が嫌いで、議員なんか政界に送り込まないじゃないですか。あとは最近、AV新法がらみで話題のAV業界もそうだし、飲食業界なんかもそうだと思うんですよ。こういう業界って結局、弱くて、何かあったときに予算削減の対象に一番なりやすいし、悪者にされやすいっていう傾向が明らかにあると思うんですよね。

※AV新法……AV出演被害防止・救済法。アダルトビデオへの出演の強要などを防ぐために、2022年6月に施行された。制作者と出演者が事前に契約を交わすことなどが義務づけられたほか、違反した場合の罰則も設けられた。

なので、**もっといろんな業界とか団体の利害を代表するような人が、有象無象で政治の世界に入っていくっていうことが起これば、もうちょっと多様な利害が代表されている、より「ちゃんとした民主制」っぽくなるんじゃないかな**っていうのは、素朴に思いますけどね。

パンダ　政治家って特定の利害じゃなく、何となく「あまねく、いろんなことの利害を代表すべきだ」っていうような理想論があるけど、実態はそうじゃないんですよね。

成田　**「あまねく国民の利害を代表しろ」って言っても、それは無理**だと思うんですよ。なので、**「相対的にまともなのは何か」**っていうことを考えなくちゃいけない。

「それぞれの議員は、ある特殊な利害を代表せざるを得ない。だけど、あらゆる特殊な利害を代表している議員が少しずついる」っていう状況に、どうやったら近づけられるかっていうのが、実現可能なセカンドベストなんじゃないかなとは思います。

パンダ　それぞれが個々の利益を代表することで、総体としては全体の利益がちゃんと代表されているっていう、実態に近づけた道徳観にしていくってことですね。

成田　ただ、それをやる気概のある人がどこにいるかって問題ですよね。まず、かなり強力な人じゃないと、特に国政の場合は通らないっていうハードルがあり、さらに、そこで通るような強力な人たちは、すでにちゃんと力を持って仕事をしているから出馬しないっていう、二重のハードルがあります。

パンダ　すでに強力な人は、政治家になる意味がない。

成田　そうです。**国政に出ていく理由がない**っていう、このよくあるパラドックスは、どうにかならないのかなとは思います。

パンダ 例えば起業家が、「政治家になっても、年収は下がる上に社会から叩かれて、ろくでもないことになる」っていうだけの発想だと、政治家にはならない。

成田 だけど、単純に「かっこいい」と思われれば、やる人はいると思うんですよ。

だって、SNSは金にならなくても、やるじゃないですか。人とつながったり人に認められたり、目立ったりするっていうのは、たぶんほとんどの人にとって、何よりも大事なことだと思うんですよね。

そう考えると、別にいっさい金にならなくても、単純に、それをやることがかっこいいと思えたり、目立てたり、拍手喝采《かっさい》されたりするみたいなムードにさえなれば、いく人はいくらでもいると思うんですよね。

パンダ 根本はそこか。

「Re:Hack」は90分くらい撮って、あんまり編集しないようにしています。メディアって、「政治は権力そのものだから、権力監視という意味合いで政治家には何してもOK」ってことで、「叩きまくっておもしろい」みたいなことになりがちじゃないですか。それは大事だけど、でもそれだけじゃダメだと思う。

政治家って今、実質的には反論権がないですよね。個人のSNSで言い合いになるとか、記者会見の断片を切り取られて無視されるみたいなことだらけです。

でも、政治家にも反論の場も必要だろうし、何より単なる権力批判じゃなく、政治の魅力を伝えるっていうことを、この番組でやりたいんです。まずは政治家に思う存分しゃべってもらう、そしてそれが大勢に届く。そんな場をつくりたい。他にそういう番組がないから。

言論の幅が狭まるよりかは、その自由を引き受けてどんどん思考実験していったほうがいいと思っていて、「Re:Hack」は、まさにそういう場だと思っています。

だけど、なかなかそれが伝わらなくて、**公開処刑台みたいになっている**と言われがちなのは、どうしてなんだろう。

成田　いや、別に処刑台になってないと思いますよ。**勝手に自爆している人が何人かいるだけ**で。

パンダ　そうなんです。自爆している人がいるだけなんですよ。魅力を引き出すっていっても、ただ礼賛《らいさん》するのはキモいから、石を磨いて輝かせるように、研磨剤として、ひろゆきさんみたいな鋭い歯があるわけじゃないですか。

これからも、楽しくて若干政治に興味が持てて、できればチャラく立候補できちゃうような番組をやりましょう。ありがとうございました。

（了）

著 者　**日経テレ東大学**

ひろゆき・成田悠輔がMCをつとめる「Re:Hack」をはじめとする「クリエイティブ政策談義」「どんな候補者探してますか？」などの政治系コンテンツのほか、「あつまれ金融の森」「超ファンタスティック未来」「FACT LOGICAL」などの金融・経済コンテンツ、「まったりFUKABORI」「sokokara?」「じっくりsorekara」「新しい義務教育」「ひろゆきと考える！高校生からの人生プラン」などの学術・教育系コンテンツ、「クレイジーキャリア雑談会」「なんで会社辞めたんですか？」「ハイパーリスクテイクビジネスパーソンファイル」などのキャリア系コンテンツ、「Re:Hack旅」「ハイパーリスクフル実演販売」などの地方創生・地方経済バラエティ、「社会人のための『死』入門」などの哲学系コンテンツを配信。
エンタメを駆使して、学問や教養の楽しさを伝えつつ、社会人としての即戦力獲得も意識した、新時代のweb型YouTube大学を標榜。開始約2年でチャンネル登録者数100万人突破。

編 著　**高橋弘樹**

ピラメキパンダの気持ちが最もわかる人。テレビ東京にて常務を目指すも挫折寸前。テレビの企画・演出に『家、ついて行ってイイですか?』『吉木りさに怒られたい』『ジョージ・ポットマンの平成史』『AKB48、最近聞いた?』シリーズなど。YouTubeの企画・製作統括に『日経テレ東大学』。著書に『TVディレクターの演出術』（筑摩書房）、『1秒でつかむ』（ダイヤモンド社）、『都会の異界　東京23区の島に暮らす』（産業編集センター）、編著に『天才たちの未来予測図』（マガジンハウス）など。

STAFF

経済Laboプロデューサー
大石信行、村野孝直、関根晋作
佐々木康、本田光範、遠藤哲也
間宮由玲子、そう ちゃお

クリエイティブデザイン
行田尚史、川上慎平

チーフプロデューサー
伊藤隆行

プロデューサー
神山祐人、森本泰介、岩上武司

制作
川島未幸、阿部勇治
柳沼わっしょい

ディレクター
今井雄大

企画・構成・演出・プロデューサー
高橋弘樹

集中講義《しゅうちゅうこうぎ》　ニッポンの大問題《だいもんだい》

2023年2月6日　第1版　第1刷発行

著　　者　日経テレ東大学
編　　著　高橋弘樹
発 行 者　村上広樹
発　　行　株式会社日経BP
発　　売　株式会社日経BPマーケティング
〒105-8308　東京都港区虎ノ門4-3-12
https://bookplus.nikkei.com/
ブックデザイン　三森健太（JUNGLE）
制　　作　株式会社キャップス
編集協力　福島結実子
編　　集　宮本沙織
印刷・製本　図書印刷株式会社

本書籍に関するお問い合わせ、ご連絡は下記にて承ります。
https://nkbp.jp/booksQA

ISBN 978-4-296-00101-9